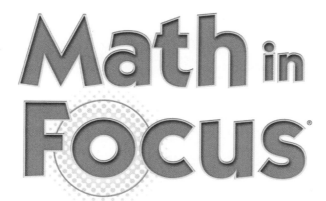

Math in Focus

Matemáticas de Singapur
de **Marshall Cavendish**

Libro del estudiante

1B

Consultor y autor
Dr. Fong Ho Kheong

Autores
Chelvi Ramakrishnan y Bernice Lau Pui Wah

Consultores en Estados Unidos
Dr. Richard Bisk, Andy Clark,
y Patsy F. Kanter

Marshall Cavendish
Education

HOUGHTON
MIFFLIN
HARCOURT

© 2011 Marshall Cavendish International (Singapore) Private Limited

Published by Marshall Cavendish Education
An imprint of Marshall Cavendish International (Singapore) Private Limited
Times Centre, 1 New Industrial Road, Singapore 536196
Customer Service Hotline: (65) 6411 0820
E-mail: tmesales@sg.marshallcavendish.com
Website: www.marshallcavendish.com/education

Distributed by
Houghton Mifflin Harcourt
222 Berkeley Street
Boston, MA 02116
Tel: 617-351-5000
Website: www.hmheducation.com/mathinfocus

English Edition first published 2009
Spanish Edition first published 2011
Reprinted 2012

Math in Focus® Grade 1 Student Book B
ISBN 978-0-547-58238-2

Printed in United States of America

2 3 4 5 6 7 8   1401   17 16 15 14 13 12
4500354350   A B C D E

Contenido

Busca la **Práctica y Resolución de problemas**

Libro del estudiante A y Libro del estudiante B	Cuaderno de actividades A y Cuaderno de actividades B
• **Practiquemos** en cada lección	• **Práctica independiente** para cada lección
• ¡Ponte la gorra de pensar! en cada capítulo	• ¡Ponte la gorra de pensar! en cada capítulo

CAPÍTULO 11

Gráficas con dibujos y gráficas de barras

Busca **Oportunidades de evaluación**

Libro del estudiante A y Libro del estudiante B	Cuaderno de actividades A y Cuaderno de actividades B
• **Repaso rápido** al comienzo de cada capítulo para evaluar la preparación para el capítulo	• **Repaso/Prueba del capítulo** en cada capítulo para repasar o evaluar el material del capítulo
• **Práctica con supervisión** después de uno o dos ejemplos para evaluar la preparación para continuar con la lección	• **Repasos acumulativos** ocho veces durante el año
	• **Repaso semestral** y **Repaso de fin de año** para evaluar la preparación para la prueba

CAPÍTULO

12 Los números hasta 40

26	27	28	29	30	31	32	33	34	35	36	37	38	39	40

CAPÍTULO 14

Estrategias de cálculo mental

28 — 20, 8

13 — 6, 7

CAPÍTULO 16

Los números hasta 100

CAPÍTULO 17 Sumas y restas hasta 100

CAPÍTULO

18 Multiplicación y división

CAPÍTULO 19 El dinero

8¢

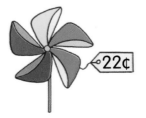

22¢

25¢

Bienvenidos a

Math in Focus®

Este fantástico programa de matemáticas llega desde el país de Singapur. Estamos seguros de que disfrutarás todas las distintas maneras de aprender matemáticas.

¿Qué hace que *Math in Focus*® sea un programa diferente?

- **Dos libros** Este libro viene con un **Cuaderno de actividades**. Period Cuando veas , escribe en el **Cuaderno de actividades** en lugar de escribir en las ⬤ de este libro de texto.
- **Lecciones más extensas** Es posible que algunas lecciones tomen más de un día, para que puedas comprender completamente las matemáticas.
- **Las matemáticas tendrán sentido** Aprenderás a usar los números conectados para comprender mejor cómo funcionan los números.

En este libro, hallarás

Aprende	Práctica con supervisión	Practiquemos	POR TU CUENTA
Significa que aprenderás algo nuevo.	Tu maestro te ayudará a resolver algunos problemas.	Practica. Asegúrate de comprender el tema muy bien.	Ahora es tu turno de intentar resolver problemas en tu **Cuaderno de actividades**.

También hallarás *Juegos, Manos a la obra, ¡Ponte la gorra de pensar!* y mucho más. ¡Disfruta verdaderos desafíos matemáticos!

¿Qué hay en el Cuaderno de actividades?

Math in Focus® te da el tiempo necesario para aprender conceptos matemáticos importantes y resolver problemas matemáticos. El **Cuaderno de actividades** te ofrecerá distintos tipos de práctica.

- Los problemas de *Práctica* te ayudarán a recordar el nuevo concepto matemático que estás aprendiendo. Busca en tu libro POR TU CUENTA. Este símbolo te indicará qué páginas debes usar para practicar.

- *¡Ponte la gorra de pensar!*

    Los problemas de *Práctica avanzada* te enseñarán a pensar en otras maneras de resolver problemas más difíciles.

    La *Resolución de problemas* te da oportunidades de resolver los ejercicios de distintas maneras.

- En las actividades del *Diario de matemáticas* aprenderás a usar tu razonamiento y a describir tus ideas ¡por escrito!

Los estudiantes de Singapur han usado este tipo de programa de matemáticas por muchos años. Ahora tú también puedes hacerlo... ¿Estás listo?

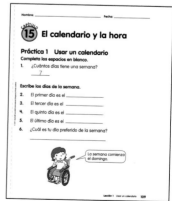

CAPÍTULO 10 El peso

Lección 1 Comparar cosas

Lección 2 Hallar el peso de las cosas

Lección 3 Hallar el peso en unidades

IDEA IMPORTANTE

El peso de las cosas se puede comparar y medir usando unidades no estándares.

1

Comparar el peso

Estas cosas son pesadas.

roca

elefante

Estas cosas son livianas.

hoja

globo

Comparar números

9 es menor que 10.

8 es mayor que 5.

Comparar la longitud

Tim es más alto que Sue.
Roy es más alto que Tim.
Entonces, Roy es más
alto que Sue.
Roy es el más alto.
Sue es la más baja.

Sue   Tim   Roy

Medir en unidades

1  representa 1 unidad.

goma de
borrar

lápiz

La goma de borrar mide aproximadamente 2 unidades de
longitud.
El lápiz mide aproximadamente 7 unidades de longitud.

Indica cuáles cosas son pesadas y cuáles cosas son livianas.

1

clip

mesa

automóvil

sandía

cinta

fresa

Cosas pesadas ▢

Cosas livianas ▢

Compara.

2 9 4

▢ es mayor que ▢ .

3 3 8

▢ es menor que ▢ .

Elige entre más bajo, el más bajo o el más alto.

4 El gato es ___ que el perro.

5 El perro es ___ que el caballo.

6 Entonces, el gato es ___.

7 El caballo es ___.

Escribe los números que faltan.

1 ⬤ representa 1 unidad.

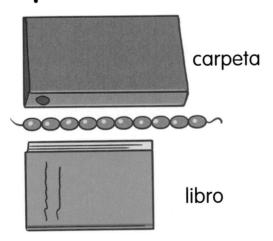

carpeta

libro

8 El libro mide aproximadamente ___ unidades de longitud.

9 La carpeta mide aproximadamente ___ unidades de longitud.

1 Comparar cosas

Objetivos de la lección

- Comparar el peso de dos cosas con los términos "pesado", "más pesado", "liviano", "más liviano" y "tan pesado como".

- Comparar el peso de más de dos cosas con los términos "el más liviano" y "el más pesado".

Vocabulario

pesado	más pesado	el más pesado
liviano	más liviano	el más liviano
peso	tan pesado como	

Aprende

Puedes comparar el peso de las cosas.

Soy **pesado**.

Soy **más pesado**.

Soy **liviano**.

Soy **más liviano**.

El **peso** indica cuán pesada o liviana es una cosa.

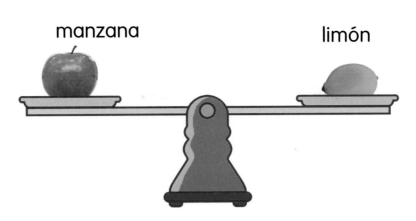

El limón es **tan pesado como** la manzana.

Práctica con supervisión
Observa las ilustraciones.

 bola de metal

pelota de peluche

Una cosa grande puede ser más liviana que una cosa pequeña.

Responde a cada pregunta.

1 ¿Cuál cosa es más pesada? La _____ es más pesada.

2 ¿Cuál cosa es más liviana? La _____ es más liviana.

3 ¿Una cosa grande es siempre más pesada que una cosa pequeña? _____

✋ Manos a la obra

Adivina cuál cosa es más pesada en cada grupo.

Usa una balanza para comprobar tus respuestas.

caja de clips   grapadora

Grupo 1

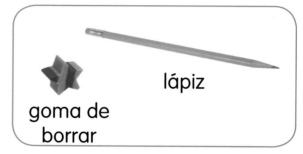

goma de borrar   lápiz

Grupo 2

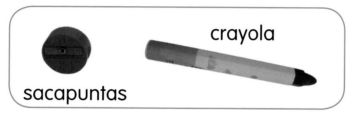

crayola

sacapuntas

Grupo 3

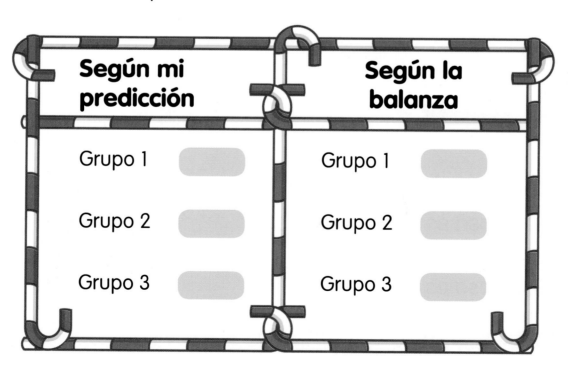

Según mi predicción		Según la balanza	
Grupo 1		Grupo 1	
Grupo 2		Grupo 2	
Grupo 3		Grupo 3	

Puedes comparar el peso de dos cosas usando un objeto.

manzana
piña

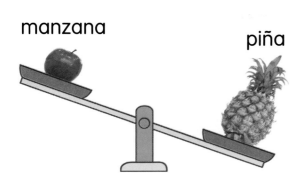

sandía

La manzana es más liviana que la piña.

La piña es más liviana que la sandía.

Entonces, la manzana es más liviana que la sandía.

Práctica con supervisión

Observa las ilustraciones. Completa.

gato
perro

rana

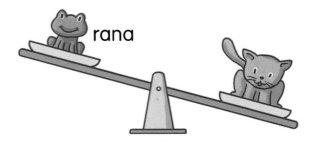

4 _____ es más pesado que _____.

5 _____ es más pesado que _____.

6 Entonces, el perro es más pesado que _____.

Puedes comparar el peso de más de dos cosas.

Aprende — Puedes comparar el peso de más de dos cosas.

azúcar

harina

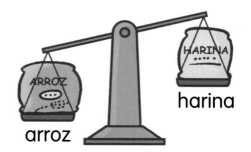

arroz

harina

La bolsa de azúcar es más liviana que la bolsa de harina.

La bolsa de arroz es más pesada que la bolsa de harina.

La bolsa de azúcar es **la más liviana** .

La bolsa de arroz es **la más pesada** .

Práctica con supervisión

Observa las ilustraciones.
Completa.

mesa

libro

globo

7 _____ es más liviano que el libro.

8 _____ es más pesado que el libro.

9 _____ es el más liviano.

10 _____ es el más pesado.

✋ Manos a la obra

PASO 1

Coloca un par de tijeras en un lado de la balanza de platillos.
Usa plastilina para formar una bola que sea tan pesada como las tijeras.

Llámala "Bola A".

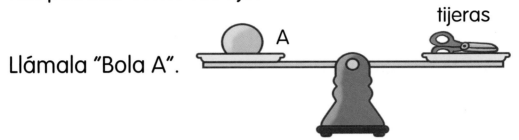

tijeras

A

PASO 2

Coloca una calculadora en un lado de la balanza de platillos.
Usa plastilina para hacer otra bola que sea tan pesada como la calculadora.

Llámala "Bola B".

calculadora

B

Responde a estas preguntas.

1 Toma las bolas en tus manos.
¿Cuál bola es más pesada: A o B?

2 ¿Cuál cosa es más pesada: el par de tijeras o la calculadora?

Practiquemos

Observa las ilustraciones. Elige entre más liviano o más pesado.

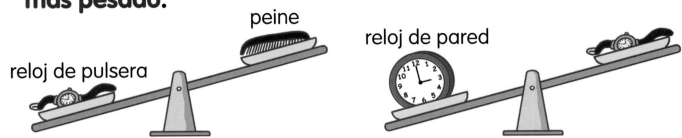

peine

reloj de pared

reloj de pulsera

1 El peine es ⬜ que el reloj de pulsera.

2 El reloj de pared es ⬜ que el reloj de pulsera.

3 Entonces, el reloj de pared es ⬜ que el peine.

Usa tus respuestas de los ejercicios 1 a 3 para responder a estas preguntas.

4 ¿Cuál cosa es la más liviana? ⬜

5 ¿Cuál cosa es la más pesada? ⬜

Completa.

6 Busca tres cosas más pesadas que tu libro de matemáticas. ⬜

7 Busca dos cosas más livianas que tu libro de matemáticas. ⬜

8 Busca una cosa que sea aproximadamente tan pesada como tu libro de matemáticas. ⬜

POR TU CUENTA

Ver Cuaderno de actividades B:
Práctica 1, págs. 1 a 6

LECCIÓN 2

Hallar el peso de las cosas

Objetivos de la lección

- Usar un objeto no estándar para hallar el peso de las cosas.

- Usar un objeto no estándar como unidad de medida para comparar el peso.

Aprende — Puedes medir el peso con objetos.

vaso

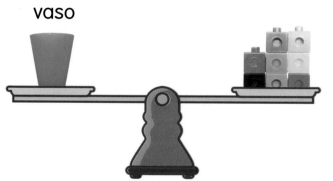

El peso del vaso es aproximadamente igual a 8 .

El vaso es tan pesado como 8 .

taza

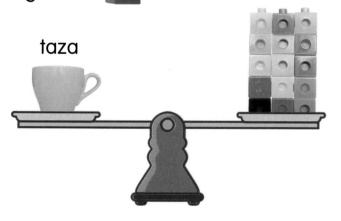

El peso de la taza es aproximadamente igual a 15 .

La taza es más pesada que el vaso.

El vaso es más liviano que la taza.

Práctica con supervisión

Observa las ilustraciones.
Completa.

1 El peso de la bolsa A es aproximadamente ____ canicas.

2 La bolsa B es tan pesada como aproximadamente ____ canicas.

3 El peso de la bolsa C es aproximadamente ____ canicas.

4 ¿Cuál es la bolsa más liviana? ____

5 ¿Cuál es la bolsa más pesada? ____

6 La bolsa ____ es más pesada que la bolsa ____ .

7 La bolsa ____ es más liviana que la bolsa ____ .

 ## Manos a la obra

1 Usa  o una balanza de platillos para hallar el peso de cada cosa.

estuche para lápices   un marcador   una grapadora

2 Usa una caja de cosas. Elige una cosa.

Halla su peso con  o .
Escribe su peso en una tarjeta.

PISTA: Mi cosa misteriosa pesa aproximadamente 15 monedas.

Muestra la caja de cosas y la tarjeta a tus amigos.
Pídeles que adivinen cuál es tu cosa misteriosa.
Pueden usar  y una balanza de platillos para comprobar sus predicciones.

Exploremos

Usa una balanza de platillos para ordenar tres cosas de la más pesada a la más liviana.
¿Cuántas veces usaste la balanza de platillos para ordenar las cosas correctamente?

Observa la ilustración.
Luego, completa los espacios en blanco.

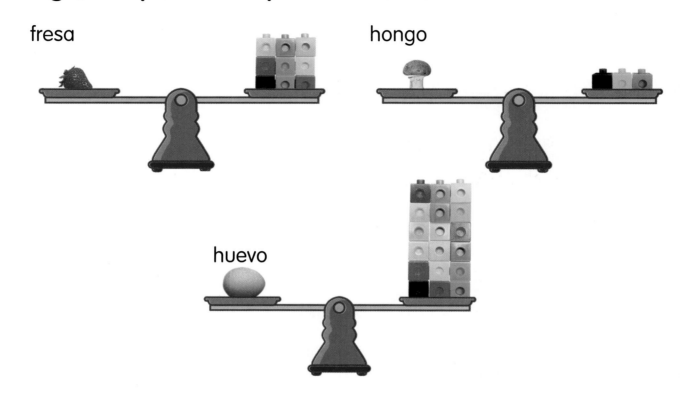

fresa

hongo

huevo

1 El peso de la fresa es aproximadamente ⬜ 🔲.

2 El peso del hongo es aproximadamente ⬜ 🔲.

3 El peso del huevo es aproximadamente ⬜ 🔲.

4 ¿Cuál cosa es la más pesada? ⬜

5 ¿Cuál cosa es la más liviana? ⬜

6 ⬜ es más pesado que ⬜.

7 ⬜ es más liviano que ⬜.

Observa la ilustración atentamente.
Completa.

tijeras

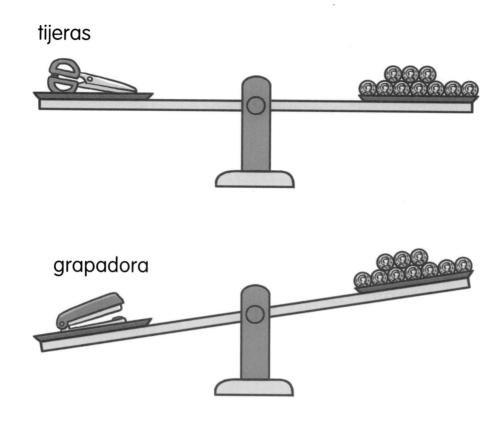

grapadora

8 El peso de las tijeras es aproximadamente ⬜ monedas.

9 ⬜ monedas son más pesadas que las tijeras.

10 ⬜ monedas son más livianas que la grapadora.

11 ¿Cuál cosa es más pesada: las tijeras o la grapadora? ⬜

Hay más de una respuesta correcta para los ejercicios **9** y **10**.

POR TU CUENTA

Ver Cuaderno de actividades B:
Práctica 2, págs. 7 a 10

3 Hallar el peso en unidades

Objetivos de la lección

- Usar el término "unidad" al escribir el peso de las cosas.
- Explicar por qué hay diferencias de medición cuando se usan distintas unidades no estándares.
- Ordenar las cosas según su peso.

Aprende

Puedes medir el peso en unidades.

1 G. de borrar representa 1 unidad.

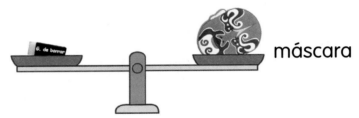

máscara

El peso de la máscara es aproximadamente 1 unidad.

1 ▪ representa 1 unidad.

máscara

El peso de la misma máscara es aproximadamente 7 unidades.
El número de unidades es diferente porque se usan distintos objetos para representar 1 unidad.

Una **unidad** es la cantidad que se usa para medir una cosa.

Manos a la obra

TRABAJAR EN PAREJAS

Grupo 1

goma de borrar

tijeras

lápiz

1 Usa 🖇 como 1 unidad.

Primero, adivina el peso de cada cosa.

Luego, comprueba tu respuesta con una balanza de platillos.

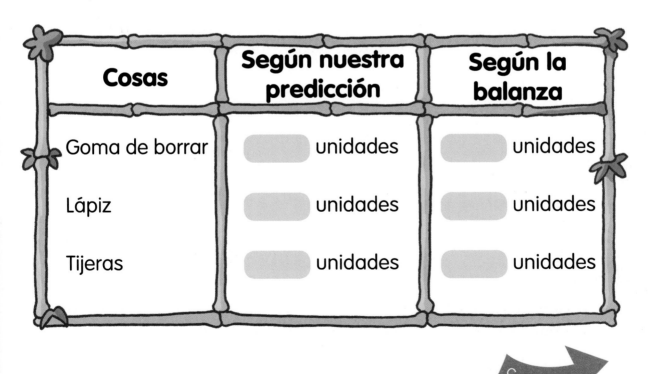

Cosas	Según nuestra predicción	Según la balanza
Goma de borrar	____ unidades	____ unidades
Lápiz	____ unidades	____ unidades
Tijeras	____ unidades	____ unidades

Continúa

Grupo 2

estuche para lápices   grapadora   2 crayolas

2 Usa  como 1 unidad.

Primero, adivina el peso de cada cosa.

Luego, comprueba tu respuesta con una balanza de platillos.

Cosas	Según nuestra predicción	Según la balanza
Estuche para lápices	____ unidades	____ unidades
Grapadora	____ unidades	____ unidades
2 crayolas	____ unidades	____ unidades

3 Ahora usa 🖇 como 1 unidad para hallar el peso de las cosas en el Grupo 2.

¿Qué ocurre?

4 Luego, usa 🪙 para hallar el peso de las cosas en el Grupo 1.

¿Qué ocurre? ¿Puedes decir por qué?

Práctica con supervisión

Observa la ilustración.

1 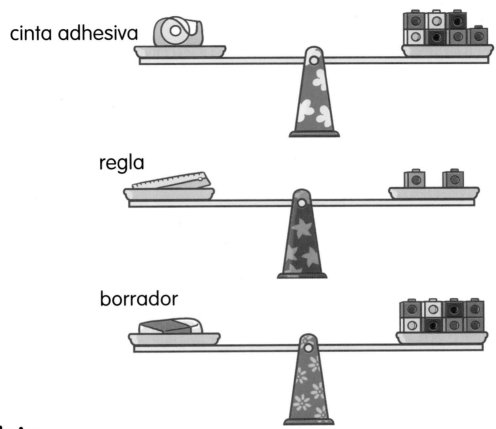 representa 1 unidad.

Completa.

1. ¿Cuánto pesa la cinta adhesiva? unidades

2. ¿Cuánto pesa la regla? unidades

3. ¿Cuánto pesa el borrador? unidades

4. ¿Cuál cosa es la más pesada?

5. ¿Cuál cosa es la más liviana?

6. Ordena las cosas de la más pesada a la más liviana.

   , ,

   la más pesada

Practiquemos

**Observa las ilustraciones.
Completa.**

Lesley tiene una rebanada de sandía, 1 manzana y un racimo de uvas.

1  representa 1 unidad.

1 La rebanada de sandía pesa ⬜ unidades.

2 La manzana pesa ⬜ unidades.

3 Las uvas pesan ⬜ unidades.

4 ¿Cuál fruta es la más pesada? ⬜

5 ¿Cuál fruta es la más liviana? ⬜

6 ⬜ es más pesada que ⬜.

7 ⬜ es/son más liviana/s que ⬜.

POR TU CUENTA

Ver Cuaderno de actividades B:
Práctica 3, págs. 11 a 16

RESOLUCIÓN DE PROBLEMAS

 1

¿Cuál bolsa es más pesada: A o B?

 2

 patito   conejo

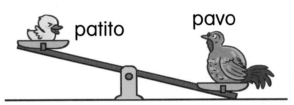 patito   pavo

¿Cuál es más pesado: el conejo o el pavo?

¿Cuál es el más pesado?

¿Cuál es el más liviano?

 3

Ordena las cajas de la más liviana a la más pesada.

_____ , _____ , _____
la más liviana

POR TU CUENTA

Ver Cuaderno de actividades A:
¡Ponte la gorra de pensar!
págs. 17 a 18

Resumen del capítulo

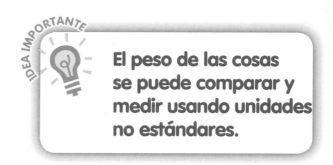
Has aprendido…

a comparar el peso de las cosas.

La bolsa A es más liviana que la bolsa B.

La bolsa B es más pesada que la bolsa A.

La bolsa C es tan pesada como la bolsa D.

a comparar el peso de dos cosas usando un objeto.

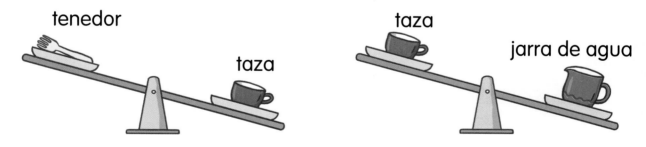

tenedor

taza

taza

jarra de agua

El tenedor es más liviano que la taza.

La jarra de agua es más pesada que la taza.

Entonces, la jarra de agua es más pesada que el tenedor.

El tenedor es el más liviano.

La jarra de agua es la más pesada.

a medir el peso usando unidades no estándares.

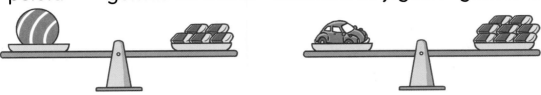

pelota   gomas de borrar   automóvil de juguete   gomas de borrar

El peso de la pelota es aproximadamente 5 gomas de borrar.
El peso del automóvil de juguete es aproximadamente 8 gomas de borrar.

que el número de unidades es diferente cuando se usan distintos objetos para representar 1 unidad.

1 🔵 representa 1 unidad.

envase de salsa de tomate

1 ⬛ representa 1 unidad.

envase de salsa de tomate

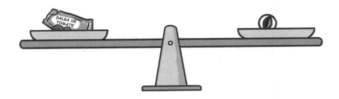

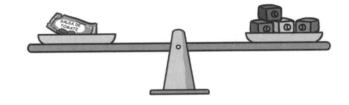

El peso del envase de salsa de tomate es aproximadamente
1 unidad cuando usas 🔵 .

El peso del mismo envase es aproximadamente
4 unidades cuando usas ⬛ .

a indicar el peso de una cosa en unidades.

a ordenar cosas de la más pesada a la más liviana.

1 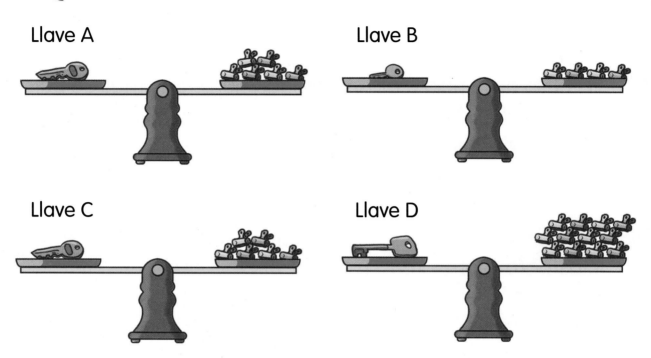 representa 1 unidad.

Llave A Llave B

Llave C Llave D

La llave A pesa aproximadamente 6 unidades.
La llave B pesa aproximadamente 4 unidades.
La llave C pesa aproximadamente 6 unidades.
La llave D pesa aproximadamente 12 unidades.

La llave B es más liviana que la llave A.
La llave A es más pesada que la llave B.
La llave A es tan pesada como la llave C.
La llave B es la más liviana.
La llave D es la más pesada.

POR TU CUENTA

Ver Cuaderno de actividades B:
Repaso/Prueba del capítulo,
págs. 19 a 24

CAPÍTULO 11

Gráficas con dibujos y gráficas de barras

En la granja de Pepito
i - a - i - a - i - o
hay una vaca y un cerdito
i - a - i - a - i - o.
Una vaca aquí,
un cerdito allá,
vaca aquí, cerdo allá,
vaca y cerdo van.
En la granja de Pepito,
¡i - a - i - a - i - o!

Lección 1 Gráficas con dibujos simples

Lección 2 Más gráficas con dibujos

Lección 3 Tablas de conteo y gráficas
de barras

IDEA IMPORTANTE
Se pueden usar gráficas con dibujos, tablas de conteo y gráficas de barras para representar datos.

27

Representar datos con dibujos

Hay 5  .

Hay 3 .

Hay 3 .

Hay 2 .

Resuelve.

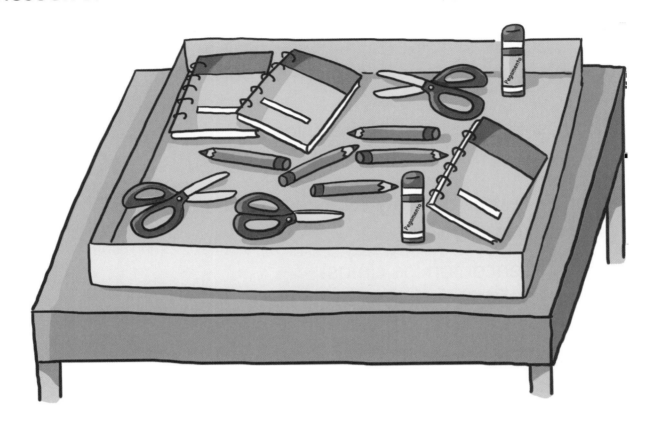

1 Hay ⬭ ![pegamento] .

2 Hay ⬭ ![lápiz] .

3 Hay ⬭ ![cuaderno] y ⬭ ![tijeras] .

Gráficas con dibujos simples

Objetivos de la lección

- Reunir y organizar datos.

- Representar datos con una gráfica con dibujos.

- Comprender los datos que se representan en una gráfica con dibujos.

Vocabulario

datos	la mayor cantidad
gráfica con dibujos	la menor cantidad
más	menos

Aprende

Puedes reunir datos y representarlos con una gráfica con dibujos.

¡A Sally le encantan las cintas!
Cuenta el número de cintas que tiene.

Los **datos** son información que tiene números. En este ejercicio, la información es el número y el color de las cintas.

Las cintas de Sally

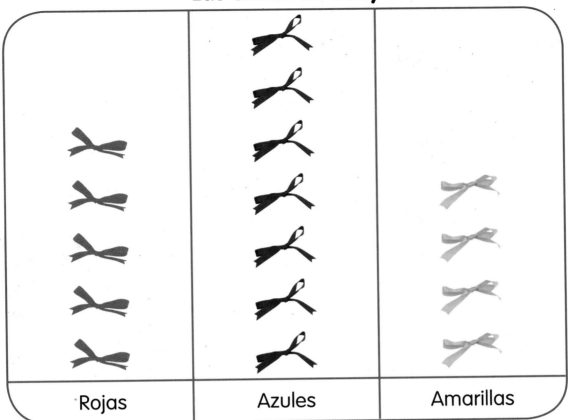

| Rojas | Azules | Amarillas |

Puedes representar datos con una **gráfica con dibujos**.
Lee la gráfica con dibujos.

Hay 5 cintas rojas.

Hay 7 cintas azules.

Hay 4 cintas amarillas.

> **La mayor cantidad** es el número mayor.
> **La menor cantidad** es el número menor.

La mayor cantidad de cintas son azules.

La menor cantidad de cintas son amarillas.

Hay 2 cintas azules **más** que rojas.

Hay 3 cintas amarillas **menos** que azules.

Hay 16 cintas en total.

En una gráfica con dibujos se usan ilustraciones o símbolos para representar datos.

Práctica con supervisión

Observa la gráfica con dibujos.
Luego, resuelve.

Hay tres gallinas en la granja del viejo Joe.
En la gráfica con dibujos se muestra el número de huevos que puso cada gallina esta semana.

Huevos que pusieron esta semana

Henny	⬭ ⬭ ⬭ ⬭
Penny	⬭ ⬭ ⬭ ⬭ ⬭ ⬭ ⬭ ⬭
Daisy	⬭ ⬭ ⬭ ⬭ ⬭ ⬭

1 Henny puso ⬚ huevos.

2 Penny puso ⬚ huevos.

3 Daisy puso ⬚ huevos.

4 ⬚ puso la mayor cantidad de huevos.

5 ⬚ puso la menor cantidad de huevos.

6 Daisy puso ⬚ huevos más que Henny.

7 Hay ⬚ huevos en total.

Práctica con supervisión

Observa la gráfica con dibujos.

Luego, responde a las preguntas.

Animales marinos en la costa

Cangrejo	🦀🦀🦀🦀🦀 🦀🦀🦀🦀🦀
Calamar	🦑🦑🦑🦑🦑🦑🦑🦑 🦑🦑🦑🦑🦑🦑🦑
Estrella de mar	⭐⭐⭐ ⭐⭐⭐
Pez	🐟🐟 🐟🐟

8 ¿Cuántos cangrejos hay?

9 ¿Cuántos calamares hay?

10 ¿Cuántas estrellas de mar hay?

11 ¿Cuántos peces hay?

12 ¿Qué animal marino se ve más?

13 ¿Qué animal marino se ve menos?

14 ¿Hay más calamares o peces?

¿Cuántos más?

15 ¿Hay menos estrellas de mar o cangrejos?

¿Cuántos o cuántas menos?

**Observa la gráfica con dibujos.
Completa.**

Feria de frutas

Manzana	
Naranja	
Fresa	

1 Hay ⬜ manzanas.

2 Hay ⬜ naranjas.

3 Hay ⬜ manzanas más que naranjas.

4 Hay ⬜ naranjas menos que fresas.

5 Hay mayor cantidad de ⬜.

6 Hay menor cantidad de ⬜.

Observa la gráfica con dibujos.
Completa.

Figuras

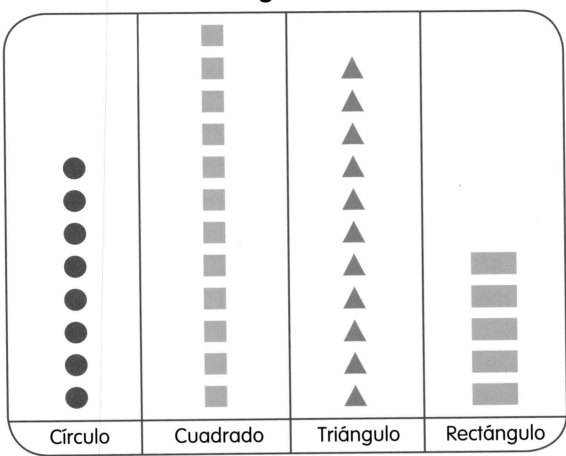

| Círculo | Cuadrado | Triángulo | Rectángulo |

7 Hay ____ cuadrados.

8 Hay 11 ____ .

9 Hay mayor cantidad de ____ .

10 Hay menor cantidad de ____ .

11 Hay ____ cuadrados más que círculos.

12 Hay ____ rectángulos menos que triángulos.

POR TU CUENTA

Ver Cuaderno de actividades B:
Práctica 1, págs. 25 a 28

LECCIÓN 2 Más gráficas con dibujos

Objetivos de la lección

- Reunir y organizar datos.
- Hacer gráficas con dibujos.
- Usar símbolos para comprender los datos de las gráficas con dibujos.

Aprende **Puedes reunir datos para hacer una gráfica con dibujos.**

Adam tira un cubo numerado.

Cada ⭐ representa 1 lanzamiento.

¡Saqué un 3!

Lanzamientos de Adam

		⭐			
1	2	3	4	5	6

Adam vuelve a tirar el cubo numerado.

Después saqué un 4.

Lanzamientos de Adam

		⭐	⭐		
1	2	3	4	5	6

Práctica con supervisión

⭐ es un símbolo que representa 1 lanzamiento.

1 Ayuda a Adam a tirar el cubo numerado 10 veces más.
Coloca ⭐ en los lugares correctos.
¿Cómo se ve tu gráfica?

Manos a la obra

En la bolsa de Dwayne hay 1 ![cubo], 1 ![cubo], 1 ![cubo] y 1 ![cubo].

Dwayne saca 1 ![cubo] de la bolsa.

Dwayne pone una X en la gráfica.

Las piezas que saca Dwayne

![cubo]	X
![cubo]	
![cubo]	
![cubo]	

Dwayne vuelve a poner el ![cubo] en la bolsa.

Ayúdalo a sacar otro.

Pon otra X en la gráfica.

Hazlo 10 veces.

¿Cuál ![cubos] sacaste más veces?

¿Cuál ![cubos] sacaste menos veces?

> Usa una X para representar cada pieza que sacas.

Puedes comprender los datos de una gráfica con dibujos.

Esta gráfica con dibujos representa los juguetes favoritos de 18 niños.

Nuestros juguetes favoritos

Osito de peluche	Muñeca	Pelota	Automóvil de juguete	Juego de cocina
⭐				
⭐				
⭐		⭐		⭐
⭐	⭐	⭐		⭐
⭐	⭐	⭐		⭐
⭐	⭐	⭐	⭐	⭐

Cada ⭐ representa 1 niño.

A 4 niños les gustan los juegos de cocina.

A 3 niños les gustan las muñecas.

El juguete que eligió la mayor cantidad de niños es el osito de peluche.

3 niños menos prefieren los automóviles de juguete que los juegos de cocina.

Las pelotas y los juegos de cocina les gustan al mismo número de niños.

Hay 5 tipos de juguetes en total.

Práctica con supervisión

Observa la gráfica con dibujos.
Luego, responde a las preguntas.

Esta gráfica con dibujos representa los colores favoritos que eligió una clase de primer grado.

Nuestro color favorito

Rojo	Verde	Amarillo	Rosado	Anaranjado
☺ ☺ ☺ ☺ ☺ ☺	☺ ☺ ☺ ☺	☺ ☺	☺	☺ ☺ ☺ ☺ ☺ ☺ ☺

Cada ☺ representa 1 niño.

2 ¿Cuántos niños eligieron el anaranjado?

3 ¿Cuál fue el color que menos eligieron?

4 ¿Cuántos niños más eligieron el rojo que el verde?

5 ¿Cuántos niños menos eligieron el amarillo que el anaranjado?

6 ¿Cuántos niños hay?

Observa la gráfica con dibujos.
Luego, responde a las preguntas.

Esta gráfica con dibujos representa los automóviles que hay en un estacionamiento.

Automóviles en un estacionamiento

| Automóvil verde | Automóvil rojo | Automóvil azul | Automóvil blanco |

Cada 🚗 representa 1 automóvil.

1 ¿Cuántos automóviles azules hay?

2 ¿Cuántos automóviles rojos y blancos hay en total?

3 Hay más automóviles rojos que verdes. ¿Cuántos más?

4 ¿Cuántos automóviles **no** son verdes?

Observa la gráfica con dibujos.
Luego, responde a las preguntas.

Esta gráfica con dibujos representa la estación favorita de algunos niños.

Estaciones favoritas

Primavera	● ● ●
Verano	● ● ● ●
Otoño	● ●
Invierno	● ● ● ● ● ●

Cada ● representa 1 niño.

5 El invierno es la estación favorita de ⬜ niños.

6 ⬜ es la estación favorita de 4 niños.

7 ¿Cuántos niños eligieron la primavera o el otoño? ⬜

8 ¿Cuál es la estación que eligieron más niños? ⬜

9 ⬜ es la estación que menos niños prefieren.

POR TU CUENTA

Ver Cuaderno de actividades B:
Práctica 2, págs. 29 a 34

Tablas de conteo y gráficas de barras

Objetivos de la lección

- Hacer una tabla de conteo.

- Representar datos con una gráfica de barras.

- Comprender los datos de una gráfica de barras.

Aprende

Puedes usar una tabla de conteo y una gráfica de barras para reunir y organizar datos.

La maestra Hanson les pide a los niños que peguen ilustraciones de su deporte favorito en una hoja de papel, como se muestra abajo.

Luego, hace una tabla de conteo con estos datos.
La maestra pone una marca ✔ al lado del deporte favorito de cada niño y dibuja una **marca de conteo** / en la tabla de conteo.

Fútbol   conteo

/

Pongo una marca al lado del deporte favorito de un niño y hago una marca de conteo.

Hago 4 marcas de conteo así: ////. Para representar 5 marcas de conteo, trazo la quinta marca horizontalmente sobre las 4 marcas de conteo.

卌

Deportes	Conteo
 Fútbol	卌 卌
 Básquetbol	卌 ///
 Béisbol	//

Esta es la tabla de conteo completa de la maestra Hanson.

Continúa

Luego, la maestra Hanson cuenta las marcas de conteo que hizo para cada deporte.

Deportes	Conteo	Número de niños
Fútbol	||||| |||||	10
Básquetbol	||||| |||	8
Béisbol	||	2

La tabla de conteo representa el número de niños que eligen cada uno de los deportes como favorito.

La maestra Hanson usa una gráfica con dibujos para representar los datos.

Usa un ■ para representar 1 niño.

Deportes favoritos

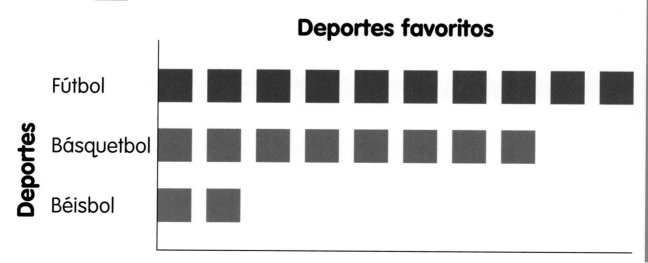

Luego, la maestra Hanson representa los mismos datos en una gráfica de barras.

Deportes favoritos

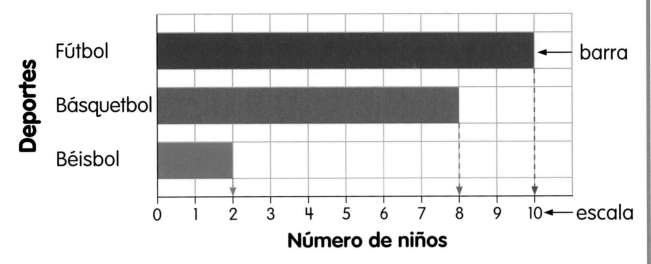

La maestra Hanson lee la gráfica de barras.
El fútbol es el deporte favorito de 10 niños.
El básquetbol es el deporte favorito de 8 niños.
El béisbol es el deporte favorito de 2 niños.

Usa la escala para hallar el número de niños.

Para leer una gráfica de barras, busca el extremo de la barra y mira hasta qué número llega en la escala.

En una **gráfica de barras** se usa la longitud de las barras y una escala para representar datos.

Práctica con supervisión

Peter vio algunos animales en el zoológico.

Usa una copia de esta tabla de conteo.
Cuenta los animales y haz una marca de conteo por cada uno de ellos.

Animales	Conteo	Número de animales
León		
Mono		
Caballo		

Completa.

2 Hay ⬜ monos.

3 Hay ⬜ animales en total.

Esta es la gráfica de barras de los animales que vio Peter.

Animales que vio Peter en el zoológico

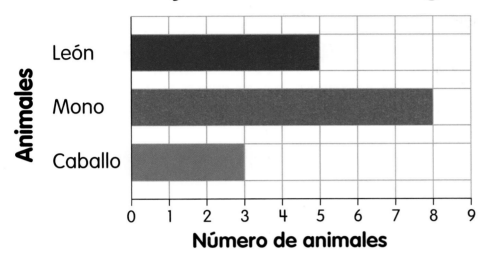

Número de animales

Observa la gráfica de barras.
Completa.

4 Hay ⬜ monos.

5 Hay ⬜ leones.

6 Hay ⬜ caballos.

7 Hay ⬜ monos más que caballos.

8 Hay ⬜ leones menos que monos.

9 Hay menor cantidad de ⬜ .

10 Hay mayor cantidad de ⬜ .

Practiquemos

Henry está haciendo una tabla de conteo y una gráfica de barras. Los datos son los tipos de libros que tiene.

1 **Completa una copia de la tabla de conteo y de la gráfica de barras.**

a

Tipos de libros	Conteo	Número de libros
Libro de tiras cómicas	卌	
Libro de crucigramas	|||	
Libro de cuentos	卌 ||	

b

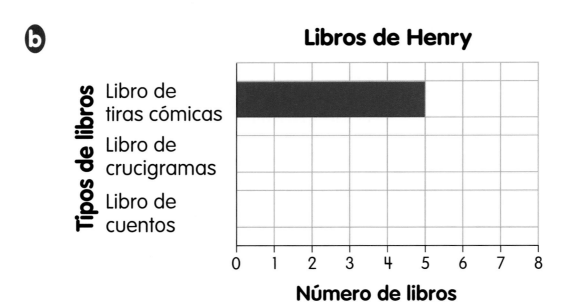

Libros de Henry

2 Henry tiene ⬭ libros de cuentos más que de crucigramas.

3 Henry tiene ⬭ libros de tiras cómicas menos que de cuentos.

POR TU CUENTA

Ver Cuaderno de actividades B: Práctica 3, págs. 35 a 38

RESOLUCIÓN DE PROBLEMAS

Lee los enunciados.
Luego, haz una gráfica.
Tu gráfica debe empezar
como la ilustración de abajo.

Llueve el lunes y el martes.

Hay sol el miércoles y el jueves.

Llueve mucho el viernes.

Hace calor y no llueve el sábado y el domingo.

Representa cada día con un .

Días de sol y días de lluvia

¿Hay más días de sol o de lluvia?
¿Cuántos días más?

POR TU CUENTA

Ver Cuaderno de actividades B:
¡Ponte la gorra de pensar!,
págs. 39 a 42

Resumen del capítulo

Has aprendido...

a recopilar y contar datos.

Hay 4 círculos.
Hay 3 cuadrados.
Hay 2 triángulos.

a dibujar y leer gráficas con dibujos.

Figuras

Círculo	● ● ● ●
Cuadrado	■ ■ ■
Triángulo	▲ ▲

Figuras

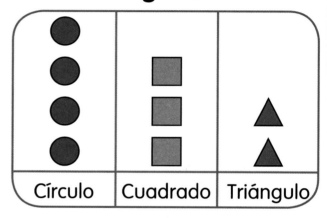

| Círculo | Cuadrado | Triángulo |

a usar un dibujo para representar 1 cosa.

a usar símbolos para comprender los datos de las gráficas con dibujos.

Frutas que comí esta semana

Manzana	★ ★ ★ ★
Plátano	★ ★ ★
Pera	★ ★
Cada ★ representa 1 fruta.	

Cada ★ representa 1 fruta.
Comí 4 manzanas.
Comí 1 plátano más que peras.
Comí 3 tipos de frutas.

a hacer una tabla de conteo.

Frutas	Conteo
Manzana	////
Plátano	///
Pera	//

a representar datos en una gráfica de barras.

En una gráfica de barras se usa la longitud de las barras y una escala para representar datos.

Frutas que comí esta semana

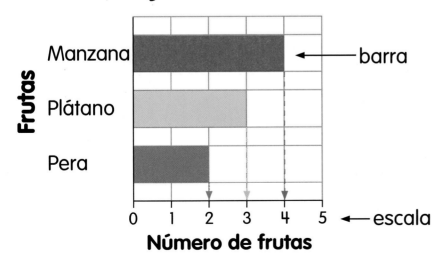

Comí 4 manzanas. La longitud de las barras representa el número de frutas. Usa la escala para hallar el número de frutas.

POR TU CUENTA

Ver Cuaderno de actividades B: Repaso/Prueba del capítulo, págs. 43 a 44

12 Los números hasta 40

IDEA IMPORTANTE

Cuenta, compara y ordena números del 1 al 40.

Recordar conocimientos previos

Contar hacia adelante del 10 al 20

10, ... 11, 12, 13, 14, 15, 16, 17, 18, 19, 20

13
trece

Formar una decena y luego, contar

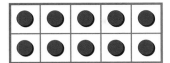

14 es igual a 10 y 4.
14 = 10 + 4

Diez y cuatro suman catorce.

Leer tablas de valor posicional

14 es igual a 1 decena
y 4 unidades.
14 = 10 + 4

Decenas	Unidades

1	4

Comparar y ordenar números

Compara 17, 14 y 19.

Compara las decenas.
Son iguales.

Compara las unidades.
7 unidades son más que
4 unidades.
Entonces, 17 es mayor que 14.

9 unidades son más que
7 unidades y más que 4 unidades.
19 es el número mayor.
14 es el número menor.

Ordena los números de mayor a menor.
19, 17, 14

Ordena los números de menor a mayor.
14, 17, 19

Decenas	Unidades
1	7
1	4
1	9

Formar patrones numéricos

12, 14, 16, 18...

Los números están ordenados en un patrón.

Cada número es 2 más que el número anterior.

El número que sigue es 2 más que 18.

Es 20.

Cuenta hacia adelante.

1 14, 15, 16, ⬭, ⬭

2 10, 11, 12, ⬭, ⬭

Escribe los números o las palabras que faltan.

3 Dieciocho es igual a ⬭ y ⬭.

4 10 y 8 suman ⬭.

5 10 + ⬭ = 18

Lee la tabla de valor posicional.
Escribe los números que faltan.

6

Decenas	Unidades

12 es igual a ⬭ decena y ⬭ unidades.

12 = ⬭ + 2

Compara y ordena.

(16)   (18)   (13)

7 [____] es mayor que 16.

8 [____] es menor que 16.

9 [____] es el número menor.

10 [____] es el número mayor.

11 Ordena los números de mayor a menor.

[____], [____], [____]

el mayor

Completa los patrones numéricos.

12 11, 13, 15, [____], [____]

13 20, 18, [____], 14, [____]

LECCIÓN 1 Contar hasta 40

Objetivos de la lección

- Contar hacia adelante del 21 al 40.
- Leer y escribir de 21 a 40 en números y palabras.

Vocabulario

veintiuno	veintidós
veintitrés	veinticuatro
veinticinco	veintiséis
veintisiete	veintiocho
veintinueve	treinta
cuarenta	

Aprende

Puedes contar números mayores que 20 de uno en uno.

Cuenta los ⬛.

1, 2, 3, 4, 5, 6, 7, 8, 9, 10

... 11, 12, 13, 14, 15, 16, 17, 18, 19, 20, 21

Continúa

Es fácil formar decenas con y contar.

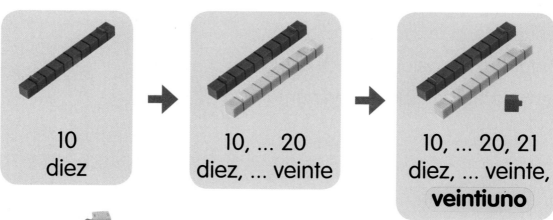

| 10 diez | 10, ... 20 diez, ... veinte | 10, ... 20, 21 diez, ... veinte, **veintiuno** |

Hay 21 .

30,   31,   32, 33, 34, 35

Hay 35 ▪.

Diez, … veinte, … **treinta**, treinta y uno, treinta y dos, treinta y tres, treinta y cuatro, treinta y cinco.

Práctica con supervisión

Cuenta de diez en diez y de uno en uno.
Escribe los números y las palabras.

Bloques de base diez	En números	En palabras
1 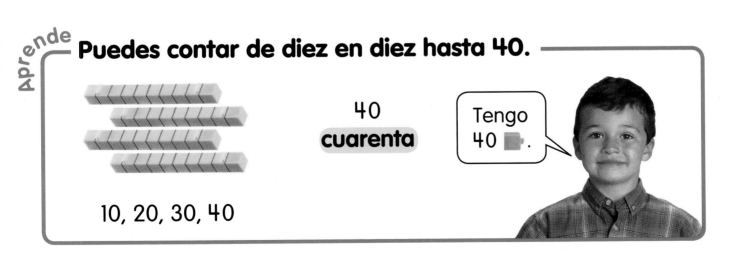		
2		
3		
4		
5		

Aprende **Puedes contar de diez en diez hasta 40.**

40
cuarenta

10, 20, 30, 40

Tengo 40 🔲.

Puedes formar números con decenas y unidades.

Tengo 28 🔲.

20 y 8
suman 28.

20 + 8 = 28

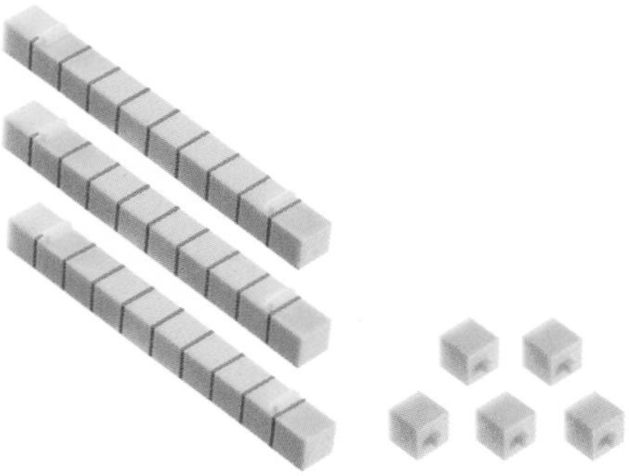

Tengo 35 🔲.

30 y 5
suman 35.

30 + 5 = 35

Práctica con supervisión

Escribe el número que falta.

6 20 y 6 suman ⬜.

7 20 + 8 = ⬜

8 7 y 30 suman ⬜.

9 4 + 30 = ⬜

Practiquemos

Escribe los números que faltan.

1 Primero, forma decenas.
Luego, sigue contando hacia adelante.

10, 20, ⬜, ⬜, ⬜, ⬜

2 Halla cuántos hay. ⬜

Escribe el número.

3 treinta ▢

4 cuarenta ▢

5 veinticuatro ▢

6 veintisiete ▢

7 treinta y dos ▢

8 treinta y seis ▢

Escribe el número en palabras.
Usa las palabras desordenadas como ayuda.

9 28   o c h i t o n i v e ▢

10 30   t e t r a i n ▢

11 33   n i t r a t e s r e y t ▢

12 40   a t e n c u r a ▢

Escribe los números que faltan.

13 20 y 9 suman ▢.

14 ▢ es igual a 9 y 30.

15 6 + 20 = ▢

16 30 + 8 = ▢

Escribe los números que faltan.

17 20 y ▢ suman 25.

18 ▢ y 30 suman 34.

¿Puedes pensar en otros números que sumen 25 y 34?

POR TU CUENTA

Ver Cuaderno de actividades B:
Práctica 1, págs. 45 a 48

② Valor posicional

Objetivos de la lección

- Usar una tabla de valor posicional para mostrar números hasta 40.
- Mostrar objetos hasta 40 en decenas y unidades.

Aprende

Puedes usar el valor posicional para mostrar números hasta 40.

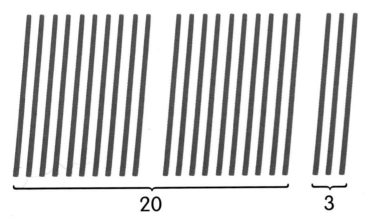

Decenas	Unidades
2	3

20   3

23 = 2 decenas y 3 unidades

23 = 20 + 3

....

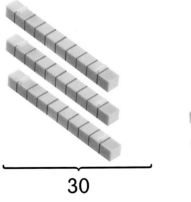

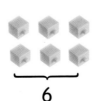

Decenas	Unidades
3	6

30   6

36 = 3 decenas y 6 unidades

36 = 30 + 6

Práctica con supervisión

Usa el valor posicional para escribir los números que faltan.

Decenas	Unidades

28 =  decenas y ____ unidades

2

Decenas	Unidades

37 =  decenas y ____ unidades

---

Manos a la obra

Usa 40  .

Muestra estos números en decenas y unidades.

Puedes atar cada grupo de diez .

(22) (27) (30) (33) (34) (35)

Practiquemos

Observa cada tabla de valor posicional.
Halla el número que muestran.

①	Decenas	Unidades

②	Decenas	Unidades

Cuenta de diez en diez y de uno en uno.
Completa los espacios en blanco.

 ③

Decenas	Unidades

30 = ⬚ decenas y ⬚ unidades

30 + 0 = ⬚

④

Decenas	Unidades

39 = ⬚ decenas y ⬚ unidades

30 + 9 = ⬚

POR TU CUENTA

Ver Cuaderno de actividades B:
Práctica 2, págs. 49 a 50

LECCIÓN 3

Comparar, ordenar y usar patrones

Objetivos de la lección

- Usar una estrategia para comparar números hasta 40.
- Comparar números hasta 40.
- Ordenar números hasta 40.
- Escribir los números que faltan en un patrón numérico.

Aprende

Puedes contar hacia adelante y hacia atrás con una cinta para contar.

Halla 2 más que 27.	Halla 2 menos que 38.

2 más   2 menos

26	27	28	29	30	31	32	33	34	35	36	37	38	39	40

Cuenta hacia adelante desde 27.   Cuenta hacia atrás desde 38.

29 es 2 más que 27.

29 es mayor que 27.

36 es 2 menos que 38.

36 es menor que 38.

Práctica con supervisión

Escribe los números que faltan.

Esta ilustración muestra parte de un calendario.

1 ▢ es 2 más que 22.

▢ es mayor que 22.

2 ▢ es 3 menos que 31.

▢ es menor que 31.

Aprende **Puedes comparar números cuando las decenas son diferentes.**

Compara 28 y 31.

> Compara las decenas.
> Las decenas son diferentes.
> 3 decenas son más que
> 2 decenas.

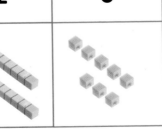

Decenas	Unidades
2	8

28

Decenas	Unidades
3	1

31

31 es mayor que 28.

Práctica con supervisión

3 **Compara los números.**

¿Cuál número es mayor?
¿Cuál número es menor?

¿Son iguales las decenas?

(26)   (32)

[____] decenas son más

que [____] decenas.

Entonces, [____] es mayor que [____].

[____] es menor que [____].

Aprende **Puedes comparar números cuando las decenas son iguales.**

Compara 34 y 37.

Las decenas son iguales.
Entonces, compara las unidades.
7 es mayor que 4.

Decenas	Unidades
3	4

34

Decenas	Unidades
3	7

37

37 es mayor que 34.

Práctica con supervisión

Compara los números.

4 ¿Cuál número es mayor?
¿Cuál número es menor?

35   34

¿Son iguales las decenas?
¿Son iguales las unidades?
[   ] unidades son

más que

[   ] unidades.

Entonces, [   ] es mayor que [   ].

[   ] es menor que [   ].

Compara los números.

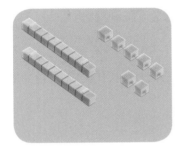 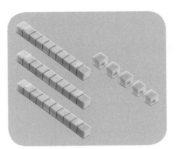 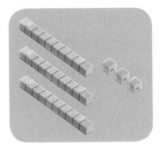

27   35   33

5 El número menor es [   ].

¿Por qué es el número menor?

6 El número mayor es [   ].

7 De menor a mayor, los números son

[   ], [   ], [   ].

Ordena los números de menor a mayor.

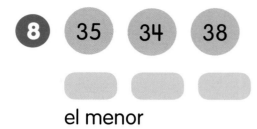

8 35 34 38

el menor

Ordena los números de mayor a menor.

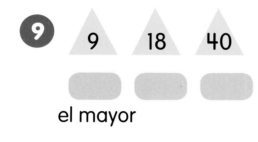

9 9 18 40

el mayor

Aprende **Puedes sumar o restar para escribir los números que faltan en un patrón.**

Los números de la cinta para contar están ordenados en un patrón. Faltan algunos números.

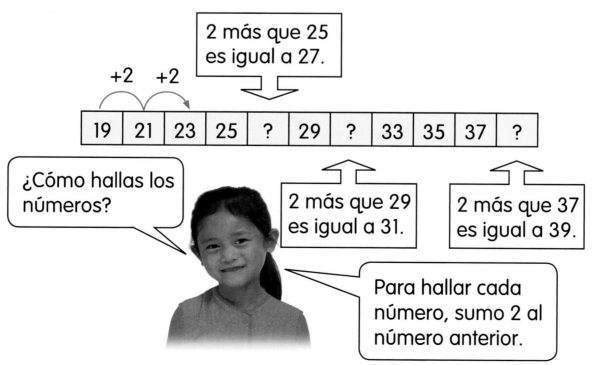

2 más que 25 es igual a 27.

+2 +2

| 19 | 21 | 23 | 25 | ? | 29 | ? | 33 | 35 | 37 | ? |

¿Cómo hallas los números?

2 más que 29 es igual a 31.

2 más que 37 es igual a 39.

Para hallar cada número, sumo 2 al número anterior.

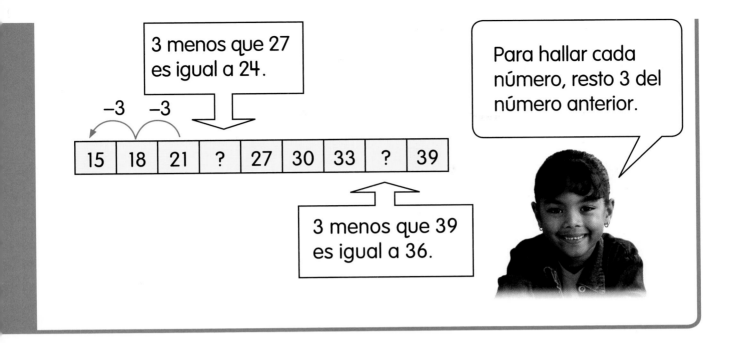

Práctica con supervisión

Escribe los números que faltan.

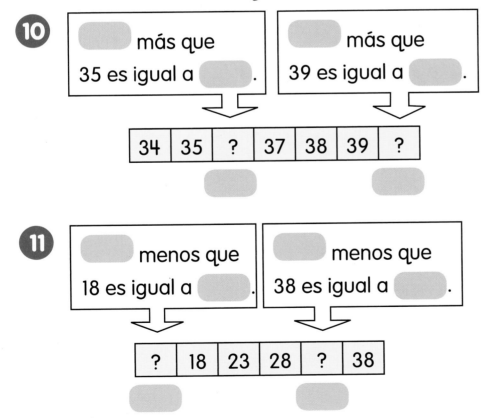

10

| | más que 35 es igual a | . | | | más que 39 es igual a | . |

| 34 | 35 | ? | 37 | 38 | 39 | ? |

11

| | menos que 18 es igual a | . | | | menos que 38 es igual a | . |

| ? | 18 | 23 | 28 | ? | 38 |

Compara.

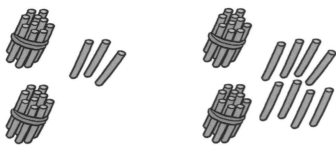

Conjunto A   Conjunto B

1 El conjunto A tiene ⬜ palitos.

2 El conjunto B tiene ⬜ palitos.

3 ¿Cuál conjunto tiene más palitos? ⬜

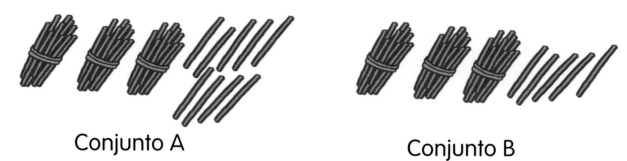

Conjunto A   Conjunto B

4 El conjunto A tiene ⬜ palitos.

5 El conjunto B tiene ⬜ palitos.

6 ¿Cuál conjunto tiene menos palitos? ⬜

Compara.
¿Cuál número es mayor?

7 22   26   ⬜   **8** 35   29   ⬜

Compara.
¿Cuál número es menor?

9 21 30 _____

10 38 24 _____

Ordena los números de menor a mayor.

11 33 28 36

_____ _____ _____

Resuelve.

12 _____ es 4 más que 33.

13 _____ es 5 menos que 28.

14 2 más que 38 es igual a _____.

15 _____ es 3 menos que 40.

16 Nombra dos números mayores que 28, pero menores que 33.
_____ _____

17 Nombra dos números menores que 36, pero mayores que 33.
_____ _____

Escribe los números que faltan en cada patrón.

18 25, 26, 27, 28, _____, _____, 31, _____, 33, 34

19 21, 23, 25, _____, 29, _____, _____, 35, 37

20 25, _____, 15, 10, 5, _____

POR TU CUENTA

Ver Cuaderno de actividades B:
Práctica 3, págs. 51 a 56

Tania completa este patrón numérico.

32, 33, 34, 35, 36, 37, 38, 39

Ella explica cómo halló cada número del patrón.

Sumé 1 a 32 para obtener 33.
Sumé 1 a 33 para obtener 34.

Solo tengo que sumar 1 para obtener el número que sigue.

33 es 1 más que 32.
34 es 1 más que 33.

32 + 1 = 33

33 + 1 = 34

¿Cómo escribes los números que faltan en este patrón?

40, 30, ____, 10, ____

En este patrón, ¿el número que sigue es mayor o menor?

Diario de matemáticas

Completa las siguientes oraciones.
Elige palabras y números de la lista dada como ayuda.
No uses otras palabras o números.

Sumo 1   Sumo 5   Sumo 10

Resto 1   Resto 5   Resto 10

0   1   10   20   30   40

1 _____ a _____ para obtener _____.

2 _____ de _____ para obtener _____.

RESOLUCIÓN DE PROBLEMAS

Resuelve.

1. Gary tiene cinco tarjetas con números que forman un patrón. Solo le muestra a Eva tres de las tarjetas con números.

   Ordena las tarjetas para formar el patrón. ¿Cuáles son las dos tarjetas con números que Gary no le mostró a Eva?

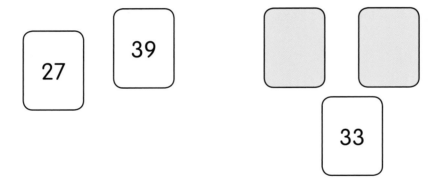

¡Ponte la gorra de pensar!

2 Gary tiene otras cinco tarjetas que forman un patrón. De nuevo, solo muestra tres de las tarjetas con números.

¿Cuáles son los números posibles que no se mostraron?

23   27

19

Hay más de una respuesta correcta para los ejercicios **1** y **2**. Los números deben ser iguales a 40 o menores que 40.

POR TU CUENTA

Ver Cuaderno de actividades B:
¡Ponte la gorra de pensar!,
págs. 57 a 58

Resumen del capítulo

Has aprendido...

Los números hasta 40

Contar

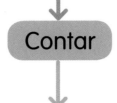

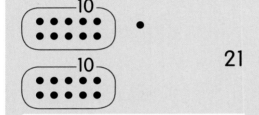
21

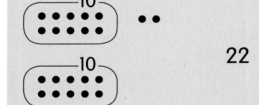
22

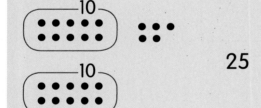
25

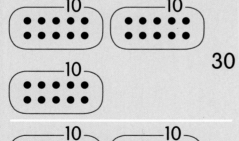
30

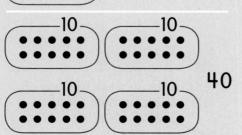
40

Leer y escribir

21	veintiuno
22	veintidós
23	veintitrés
24	veinticuatro
25	veinticinco
26	veintiséis
27	veintisiete
28	veintiocho
29	veintinueve
30	treinta
40	cuarenta

Valor posicional

Decenas	Unidades

23 = 2 decenas y
3 unidades
20 + 3 = 23

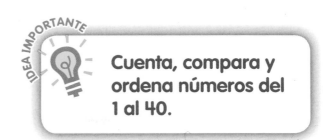

Cuenta, compara y ordena números del 1 al 40.

Comparar y ordenar

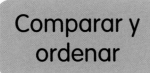

38   19   25

25 es mayor que 19.
19 es menor que 25.

25 es 6 más que 19.
19 es 6 menos que 25.

Ordena los números de menor a mayor.

19 25 38
el menor

Ordena los números de mayor a menor.

38 25 19
el mayor

El número mayor es 38.
El número menor es 19.

Patrones

a 27, 28, 29, 30, 31

Suma 1 para obtener el número que sigue.

b 40, 36, 32, 28, 24

Resta 4 para obtener el número que sigue.

POR TU CUENTA

Ver Cuaderno de actividades B:
Repaso/Prueba del capítulo,
págs. 59 a 60

13 Sumas y restas hasta 40

6 🍶 + 1 🍶 = 7 🍶
4 🍞 + 1 🍞 = 5 🍞

Mamá, necesitamos 1 botella más de jugo de manzana y 1 barra de pan más.

7 botellas de jugo de manzana
5 panes de molde

IDEA IMPORTANTE

Los números enteros se pueden sumar y restar con y sin reagrupación.

Recordar conocimientos previos

Formar una decena para sumar

$7 + 5 =$?

Paso 1 $7 + 5$

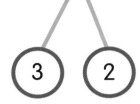

Paso 2 $7 + 3 = 10$

Paso 3 $10 + 2 = 12$

Entonces, $7 + 5 = 12$.

Agrupar en una decena y en unidades para sumar

$14 + 5 =$?

Paso 1 $14 + 5$

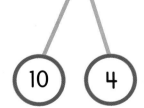

Paso 2 $4 + 5 = 9$

Paso 3 $10 + 9 = 19$

Entonces, $14 + 5 = 19$.

Agrupar en una decena y en unidades para restar

$16 - 3 = ?$

Paso 1 $16 - 3$

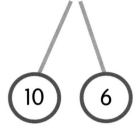

Paso 2 $6 - 3 = 3$

Paso 3 $10 + 3 = 13$

Entonces, $16 - 3 = 13$.

···

$13 - 8 = ?$

Paso 1 $13 - 8$

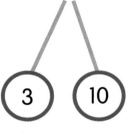

Paso 2 $10 - 8 = 2$

Paso 3 $3 + 2 = 5$

Entonces, $13 - 8 = 5$.

Operaciones relacionadas de suma y resta

$4 + 3 = 7$ ································· $7 - 4 = 3$

$7 - 3 = 4$ ································· $3 + 4 = 7$

Completa los números conectados.
Suma.

1 7 + 4 = ⬭

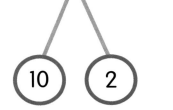

(3) (1)

2 6 + 8 = ⬭

3 12 + 7 = ⬭

(10) (2)

4 15 + 3 = ⬭

Resta.

5 16 − 5 = ⬭

(10) (6)

6 18 − 6 = ⬭

7 15 − 7 = ⬭

(5) (10)

8 11 − 4 = ⬭

Halla un enunciado relacionado de suma o resta.

9 14 − 6 = 8

10 9 + 7 = 16

1 Suma sin reagrupación

Objetivos de la lección

- Sumar un número de 2 dígitos y un número de 1 dígito sin reagrupar.
- Sumar dos números de 2 dígitos sin reagrupar.

Vocabulario
contar hacia adelante
tabla de valor posicional

Aprende

Puedes sumar unidades a un número de diferentes maneras.

$24 + 3 = ?$

Método 1   **Cuenta hacia adelante** desde el número mayor.

| 24 | 25 | 26 | 27 |

24, 25, 26, 27

Método 2   Usa una **tabla de valor posicional**.

Decenas	Unidades
24		
3		

Paso 1   Suma las unidades.

$$
\begin{array}{r}
\text{Decenas} \quad \text{Unidades} \\
2 \qquad\qquad 4 \\
+ \qquad\qquad\quad 3 \\
\hline
7 \\
\end{array}
$$

4 unidades + 3 unidades
= 7 unidades

Paso 2 Suma las decenas.

24 + 3

4 + 3 = 7

20 + 7 = 27

20   4

Decenas   Unidades

	2	4
+		3
	2	7

2 decenas + 0 decenas
= 2 decenas

Entonces, 24 + 3 = 27.

Práctica con supervisión

Suma.

1 36 + 2 = ?

Método 1 Cuenta hacia adelante desde
el número mayor.

36, ☐, ☐

Método 2 Usa una tabla de valor posicional.

Decenas	Unidades
36	
2	

Decenas	Unidades
3	6
+	2

Primero, suma las unidades.
Luego, suma las decenas.

36 + 2

30   ?

☐ + 2 = ☐
30 + ☐ = ☐

Entonces, 36 + 2 = ⬚.

Puedes sumar decenas de diferentes maneras.

Aprende

20 + 20 = ?

Método 1   Cuenta hacia adelante desde el número mayor.

20, …30, …40

Método 2   Usa una tabla de valor posicional.

Decenas	Unidades
20	
20	

Paso 1   Suma las unidades.

Decenas Unidades

$$
\begin{array}{r@{\,}r@{\qquad}r}
 & 2 & 0 \\
+ & 2 & 0 \\
\hline
 & & 0 \\
\end{array}
$$

0 unidades + 0 unidades
= 0 unidades

Paso 2   Suma las decenas.

Decenas Unidades

$$
\begin{array}{r@{\,}r@{\qquad}r}
 & 2 & 0 \\
+ & 2 & 0 \\
\hline
 & 4 & 0 \\
\end{array}
$$

2 decenas + 2 decenas
= 4 decenas

2 decenas + 2 decenas
= 4 decenas
20 + 20 = 40

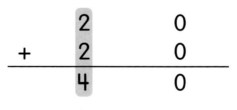

Entonces, 20 + 20 = 40.

Práctica con supervisión

Suma.

2 $20 + 10 = ?$

Método 1 Cuenta hacia adelante desde
el número mayor.

20, …

Método 2 Usa una tabla de valor posicional.

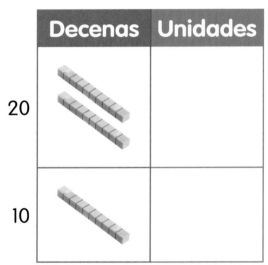

Decenas	Unidades
20	
10	

Primero, suma las unidades.
Luego, suma las decenas.

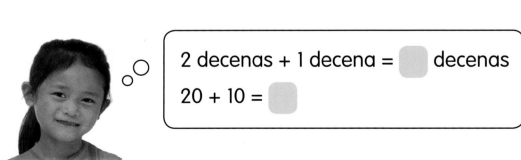

Decenas Unidades

```
      2        0
  +   1        0
  _____
```

2 decenas + 1 decena = ▢ decenas

$20 + 10 =$ ▢

Entonces, $20 + 10 =$ ▢ .

Puedes usar tablas de valor posicional para sumar decenas a un número.

17 + 20 = ?

Decenas	Unidades
17	
20	

Paso 1 Suma las unidades.

```
   Decenas  Unidades
       1        7
   +   2        0
   ─────────────────
                7
```

7 unidades + 0 unidades

= 7 unidades

Paso 2 Suma las decenas.

```
   Decenas  Unidades
       1        7
   +   2        0
   ─────────────────
       3        7
```

1 decena + 2 decenas

= 3 decenas

17   +   20

10   7   20   0

7 + 0 = 7
10 + 20 = 30
7 + 30 = 37

Entonces, 17 + 20 = 37.

Práctica con supervisión

Suma.

 3 20 + 13 = ?

Decenas	Unidades
20	
13	

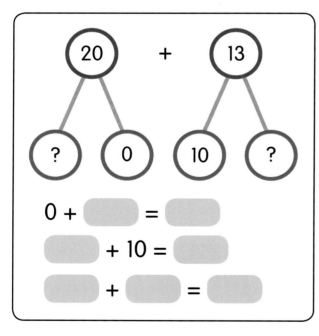

Primero, suma las unidades.
Luego, suma las decenas.

Decenas Unidades

```
    2       0
+   1       3
_____
```

20 + 13

? 0 10 ?

0 + ___ = ___

___ + 10 = ___

___ + ___ = ___

Entonces, 20 + 13 = ___ .

Puedes usar tablas de valor posicional para sumar dos números.

14 + 25 = ?

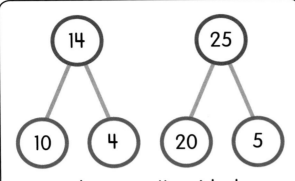

14 = 1 decena y 4 unidades
25 = 2 decenas y 5 unidades

Decenas	Unidades
14	
25	

Paso 1 Suma las unidades.

Decenas Unidades

```
      1      4
+     2      5
─────────────
             9
```

4 unidades + 5 unidades
= 9 unidades

Paso 2 Suma las decenas.

Decenas Unidades

```
      1      4
+     2      5
─────────────
      3      9
```

1 decena + 2 decenas
= 3 decenas

Entonces, 14 + 25 = 39.

Práctica con supervisión

Suma.

4 13 + 14 = ?

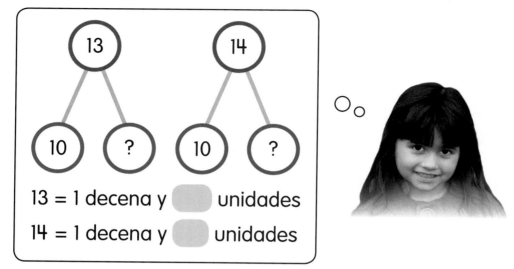

13 = 1 decena y ⬭ unidades

14 = 1 decena y ⬭ unidades

Decenas	Unidades
13 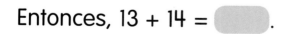	
14 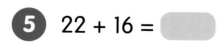	

> Primero, suma las unidades.
> Luego, suma las decenas.

Decenas Unidades

```
      1      3
 +    1      4
  _____
```

Entonces, 13 + 14 = ⬭.

5 22 + 16 = ⬭

Decenas Unidades

```
 +
  _____
```

Practiquemos

Cuenta hacia adelante para sumar.

1 22 + 3 = ⬚

2 9 + 8 = ⬚

Suma.

3

Decenas	Unidades
2	5
+	2
⬚	

4

Decenas	Unidades
1	9
+ 2	0
⬚	

5

Decenas	Unidades
2	7
+ 1	2
⬚	

6

Decenas	Unidades
1	4
+ 2	4
⬚	

7 6 + 33 = ⬚

Decenas	Unidades
⬚	⬚
+ ⬚	⬚
⬚	

8 21 + 18 = ⬚

Decenas	Unidades
⬚	⬚
+ ⬚	⬚
⬚	

POR TU CUENTA

Ver Cuaderno de actividades B:
Práctica 1, págs. 61 a 64

LECCIÓN 2 Suma con reagrupación

Objetivos de la lección

- Sumar un número de 2 dígitos y un número de 1 dígito con reagrupación.
- Sumar dos números de 2 dígitos con reagrupación.

Vocabulario
reagrupar

 TRABAJAR EN GRUPO Juego

¡A sumar 40!

Jugadores: 4 a 6
Necesitas:

- habichuelas rojas
- habichuelas verdes
- un cubo numerado
- una tabla de valor posicional para cada jugador

Instrucciones:

PASO 1 Las habichuelas rojas representan las decenas y las verdes representan las unidades.

PASO 2 Lanza el cubo numerado.

PASO 3 Coloca el número de habichuelas verdes que haya indicado el cubo en tu tabla de valor posicional.

 PASO 4 Los otros jugadores se turnan para repetir

el  **PASO 2** y el **PASO 3**.

PASO 5 En tu siguiente turno, vuelve a lanzar el cubo numerado. Suma el número de habichuelas en tu tabla.

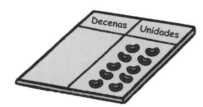

PASO 6 Si obtienes 10 o más habichuelas verdes, cambia 10 de ellos por una habichuela roja.

Debes **reagrupar** cuando cambias 10 unidades por 1 decena.

Gana el jugador que primero obtiene 4 habichuelas rojas o 4 decenas.

Práctica con supervisión

**Reagrupa las unidades en decenas y unidades.
Luego, completa la tabla de valor posicional.**

1

Decenas	Unidades
	17

17 =

=

Decenas	Unidades
	7

Aprende **Puedes usar tablas de valor posicional para sumar unidades a un número con reagrupación.**

28 + 6 = ?

28 = 2 decenas y 8 unidades

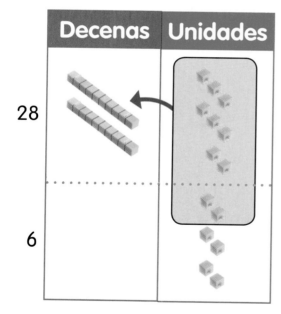

Decenas	Unidades

28

6

Paso 1 Suma las unidades.

Decenas Unidades

$$
\begin{array}{cc}
\overset{1}{2} & 8 \\
+ & 6 \\
\hline
3 & 4
\end{array}
$$

8 unidades + 6 unidades = 14 unidades

Reagrupa las unidades.
14 unidades = 1 decena y 4 unidades

Decenas	Unidades

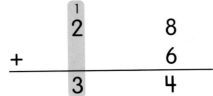

34

Entonces, 28 + 6 = 34.

Paso 2 Suma las decenas.

Decenas	Unidades
¹2	8
+	6
3	4

1 decena + 2 decenas + 0 decenas
= 3 decenas

Práctica con supervisión

Suma y reagrupa.

2

Decenas	Unidades
1	2
+	8

Paso 1 Suma las unidades.

⬭ unidades + ⬭ unidades

= ⬭ unidades

Reagrupa las unidades.

⬭ unidades = ⬭ decena y

⬭ unidades

Paso 2 Suma las decenas.

⬭ decena + ⬭ decena

+ 0 decenas = ⬭ decenas

3

Decenas	Unidades
3	1
+	9

4

Decenas	Unidades
2	5
+	7

5

Decenas	Unidades
2	9
+	6

6

Decenas	Unidades
3	5
+	8

Aprende Puedes usar tablas de valor posicional para sumar números con reagrupación.

$14 + 18 = ?$

$14 = 1$ decena y 4 unidades
$18 = 1$ decena y 8 unidades

Decenas	Unidades
14	
18	

Paso 1 Suma las unidades.

Decenas Unidades

$$\begin{array}{r} 1 \\ 1 \quad 4 \\ + \quad 1 \quad 8 \\ \hline 2 \end{array}$$

4 unidades $+ 8$ unidades
$= 12$ unidades

Reagrupa las unidades.

12 unidades $= 1$ decena y 2 unidades

Decenas	Unidades
32	

Paso 2 Suma las decenas.

Decenas Unidades

$$\begin{array}{r} 1 \\ 1 \quad 4 \\ + \quad 1 \quad 8 \\ \hline 3 \quad 2 \end{array}$$

1 decena $+ 1$ decena $+ 1$ decena
$= 3$ decenas

Entonces, $14 + 18 = 32$.

Práctica con supervisión

Suma y reagrupa.

 7

	Decenas	Unidades
	1	5
+	1	6

Paso 1 Suma las unidades.

⬤ unidades + ⬤ unidades = ⬤ unidades

Reagrupa las unidades.

⬤ unidades = ⬤ decena y ⬤ unidad

Paso 2 Suma las decenas.

⬤ decena + ⬤ decena + ⬤ decena = ⬤ decenas

8

	Decenas	Unidades
	1	5
+	1	5

9

	Decenas	Unidades
	1	2
+	2	8

10

	Decenas	Unidades
	1	2
+	1	9

11

	Decenas	Unidades
	1	7
+	1	7

12

	Decenas	Unidades
	2	6
+		8

13

	Decenas	Unidades
	1	9
+		9

**Reagrupa las unidades en decenas y unidades.
Luego, completa la tabla de valor posicional.**

1

$23 =$

Decenas	Unidades
1	13

$=$

Decenas	Unidades

Suma y reagrupa.

2

Decenas	Unidades
1	8
+	9

3

Decenas	Unidades
	8
+ 2	7

4

Decenas	Unidades
	4
+ 1	6

5

Decenas	Unidades
1	5
+ 1	9

6 $7 + 29 =$

Decenas	Unidades
+	

7 $14 + 26 =$

Decenas	Unidades
+	

POR TU CUENTA

Ver Cuaderno de actividades B:
Práctica 2, págs. 65 a 68

3 Resta sin reagrupación

Objetivos de la lección

- Restar un número de 1 dígito de un número de 2 dígitos sin reagrupar.

- Restar un número de 2 dígitos de otro número de 2 dígitos sin reagrupar.

Vocabulario
contar hacia atrás

Aprende

Puedes restar unidades de un número de diferentes maneras.

$27 - 4 = ?$

Método 1 Puedes **contar hacia atrás** desde el número mayor.

23	24	25	26	27

27, 26, 25, 24, 23

Método 2 Usa una tabla de valor posicional.

Decenas	Unidades
27	

Paso 1 Resta las unidades.

Decenas Unidades

$$\begin{array}{cc} 2 & 7 \\ - & 4 \\ \hline & 3 \end{array}$$

7 unidades –
4 unidades
= 3 unidades

Decenas	Unidades
23	x x x x

Paso 2 Resta las decenas.

Decenas Unidades

$$\begin{array}{cc} 2 & 7 \\ - & 4 \\ \hline 2 & 3 \end{array}$$

2 decenas –
0 decenas
= 2 decenas

Continúa

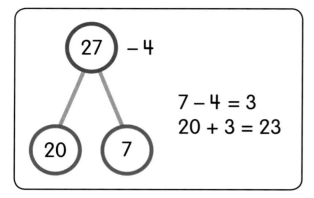

$7 - 4 = 3$
$20 + 3 = 23$

Entonces, $27 - 4 = 23$.

¡Comprueba!

Recuerda, $7 - 4 = 3$ $3 + 4 = 7$
Si $27 - 4 = 23$, entonces, $23 + 4$ debe ser
igual a 27.
La respuesta es correcta.

$$\begin{array}{r} 2\ 3 \\ +\ \ \ 4 \\ \hline 2\ 7 \end{array}$$

Práctica con supervisión

Resta.

1 $36 - 3 = ?$

Método 1   Cuenta hacia atrás desde el número
mayor.

36, ☐ , ☐ , ☐

Método 2   Usa una tabla de valor posicional.

Decenas	Unidades

36

Decenas	Unidades

Primero, resta las unidades.
Luego, resta las decenas.

    Decenas   Unidades

$$\begin{array}{cc} 3 & 6 \\ - & 3 \\ \hline \end{array}$$

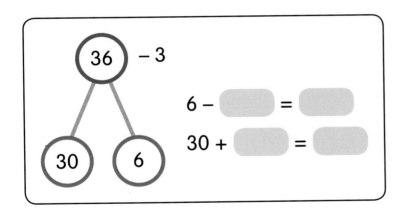

36 – 3

30   6

6 – ⬜ = ⬜

30 + ⬜ = ⬜

Entonces, 36 – 3 = ⬜ .

¡Comprueba!

$$\begin{array}{cc} & ⬜ \\ + & 3 \\ \hline 3 & 6 \end{array}$$

Puedes restar decenas de diferentes maneras.

20 – 10 = ?

Método 1   Cuenta hacia atrás desde el número mayor.

20, …10

Método 2   Usa una tabla de valor posicional.

Decenas	Unidades
20	

Paso 1   Resta las unidades.

Decenas	Unidades	
2	0	0 unidades
– 1	0	– 0 unidades
	0	= 0 unidades

Decenas	Unidades
10	

Paso 2   Resta las decenas.

Decenas	Unidades	
2	0	2 decenas
– 1	0	– 1 decena
1	0	= 1 decena

2 decenas – 1 decena = 1 decena
20 – 10 = 10

Entonces, 20 – 10 = 10.

¡Comprueba!

Si 20 – 10 = 10,
entonces, 10 + 10 debe ser igual a 20.
La respuesta es correcta.

	1 0
+	1 0
	2 0

Práctica con supervisión

Resta.

2 30 − 20 = ?

30, … , …

Método 1   Cuenta hacia atrás desde el número mayor.

Método 2   Usa una tabla de valor posicional.

Decenas	Unidades
30	

Primero, resta las unidades. Luego, resta las decenas.

Decenas	Unidades
10	

$$
\begin{array}{c}
\text{Decenas} \quad \text{Unidades} \\
\quad 3 \qquad\qquad 0 \\
-\quad 2 \qquad\qquad 0 \\
\hline
\end{array}
$$

3 decenas − 2 decenas =   decena

30 − 20 =

Entonces, 30 − 20 =   .

¡Comprueba!

$$
\begin{array}{r}
\\
+\ 2\ 0 \\
\hline
3\ 0
\end{array}
$$

Puedes usar tablas de valor posicional para restar decenas y unidades de un número.

38 − 20 = ?

Decenas	Unidades
38	

Paso 1 Resta las unidades.

Decenas   Unidades

Decenas	Unidades	
3	8	8 unidades
− 2	0	− 0 unidades
	8	= 8 unidades

Decenas	Unidades
18	

Paso 2 Resta las decenas.

Decenas   Unidades

Decenas	Unidades	
3	8	3 decenas
− 2	0	− 2 decenas
1	8	= 1 decena

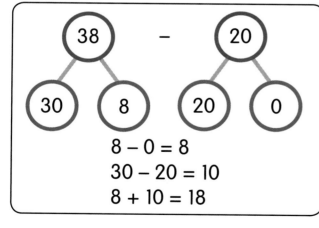

8 − 0 = 8
30 − 20 = 10
8 + 10 = 18

Entonces,
38 − 20 = 18.

¡Comprueba!

Si 38 − 20 = 18,
entonces, 18 + 20 debe ser igual a 38.
La respuesta es correcta.

```
  1 8
+ 2 0
─────
  3 8
```

Práctica con supervisión

Resta.

3 35 − 20 = ?

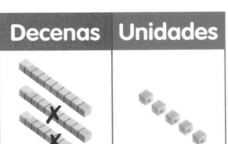

Decenas	Unidades

35

Primero, resta las unidades. Luego, resta las decenas.

Decenas	Unidades

Decenas	Unidades
3	5
− 2	0

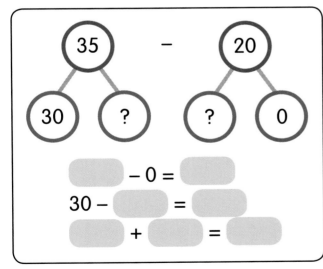

35 − 20

30 ?   ? 0

_____ − 0 = _____

30 − _____ = _____

_____ + _____ = _____

Entonces,
35 − 20 = _____ .

¡Comprueba!

_____
```
  + 2 0
  ─────
    3 5
```

Puedes usar tablas de valor posicional para restar un número de otro.

28 − 14 = ?

> 28 = 2 decenas y 8 unidades
> 14 = 1 decena y 4 unidades

Decenas	Unidades
28	

Paso 1   Resta las unidades.

Decenas   Unidades

$$
\begin{array}{cc}
2 & 8 \\
- \quad 1 & 4 \\
\hline
4 & 4
\end{array}
$$

8 unidades
− 4 unidades
= 4 unidades

Decenas	Unidades
14	

Paso 2   Resta las decenas.

Decenas   Unidades

$$
\begin{array}{cc}
2 & 8 \\
- \quad 1 & 4 \\
\hline
1 & 4
\end{array}
$$

2 decenas
− 1 decena
= 1 decena

Entonces, 28 − 14 = 14.

¡Comprueba!

Si 28 − 14 = 14,
entonces, 14 + 14 debe ser igual a 28.
La respuesta es correcta.

$$
\begin{array}{r}
1\,4 \\
+ \ 1\,4 \\
\hline
2\,8
\end{array}
$$

Práctica con supervisión

Resta.

4 39 − 22 = ?

> 39 = 3 decenas y ⬭ unidades
> 22 = ⬭ decenas y 2 unidades

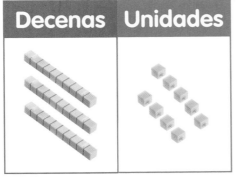

39

> Primero, resta las unidades. Luego, resta las decenas.

Decenas	Unidades

Decenas Unidades

```
      3   9
  −   2   2
  _____
      ⬭
```

Entonces,
39 − 22 = ⬭ .

¡Comprueba!

```
      ⬭
  +   2 2
  _____
      3 9
```

Practiquemos

Cuenta hacia atrás para restar.

1 28 – 3 = ⬚

2 40 – 20 = ⬚

Resta.

3

Decenas	Unidades
2	6
–	5
⬚	

4

Decenas	Unidades
3	6
– 1	0
⬚	

5

Decenas	Unidades
2	9
– 1	3
⬚	

6

Decenas	Unidades
3	8
– 2	5
⬚	

7 34 – 3 = ⬚

Decenas	Unidades
⬚	⬚
– ⬚	⬚
⬚	

8 27 – 15 = ⬚

Decenas	Unidades
⬚	⬚
– ⬚	⬚
⬚	

POR TU CUENTA

Ver Cuaderno de actividades B:
Práctica 3, págs. 69 a 72

4 Resta con reagrupación

Objetivos de la lección

- Restar un número de 1 dígito de un número de 2 dígitos con reagrupación.
- Restar un número de 2 dígitos de otro número de 2 dígitos con reagrupación.

TRABAJAR EN GRUPO **Juego**

¡A restar hasta O!

Jugadores: 4 a 6
Necesitas:
- habichuelas rojas
- habichuelas verdes
- un cubo numerado
- una tabla de valor posicional para cada jugador

Instrucciones:

PASO 1 Las habichuelas rojas representan las decenas y las verdes representan las unidades.

PASO 2 Cada jugador comienza con 4 habichuelas rojas en la tabla.

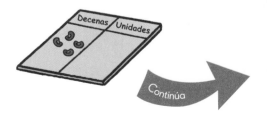

Continúa

PASO 3 Cambia 1 habichuela roja por 10 verdes. Luego, lanza el cubo numerado.

PASO 4 Quita el número de habichuelas verdes que sacaste en el cubo de tu tabla.

PASO 5 Los otros jugadores se turnan para repetir el **PASO 3** y el **PASO 4**.

Gana el jugador que quita primero todas las habichuelas de su tabla u obtiene un cero.

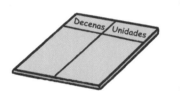

Reagrupas cuando cambias 1 decena por 10 unidades.

Práctica con supervisión

**Reagrupa las decenas y las unidades.
Luego, completa la tabla de valor posicional.**

 1

$25 =$

Decenas	Unidades
2	5

$=$

Decenas	Unidades
1	

Aprende

Puedes usar tablas de valor posicional para restar unidades con reagrupación.

32 – 9 = ?

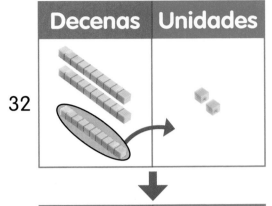

Decenas	Unidades
32	

Paso 1 Resta las unidades.

> ¡No puedes restar 9 unidades de 2 unidades! Entonces, necesitas reagrupar.

Reagrupa las decenas y las unidades de 32.

32 = 3 decenas y 2 unidades
= 2 decenas y 12 unidades

Resta.

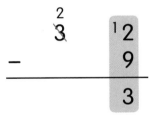

Decenas Unidades

$$
\begin{array}{cc}
\overset{2}{\cancel{3}} & {}^{1}2 \\
- & 9 \\
\hline
 & 3 \\
\end{array}
$$

12 unidades
– 9 unidades
= 3 unidades

Decenas	Unidades
23	

Paso 2 Resta las decenas.

Decenas Unidades

$$
\begin{array}{cc}
\overset{2}{\cancel{3}} & {}^{1}2 \\
- & 9 \\
\hline
2 & 3 \\
\end{array}
$$

2 decenas
– 0 decenas
= 2 decenas

Entonces, 32 – 9 = 23.

¡Comprueba!

Si 32 – 9 = 23,
entonces, 23 + 9 debe ser igual a 32.

La respuesta es correcta.

$$
\begin{array}{r}
2\ 3 \\
+\ \ \ 9 \\
\hline
3\ 2 \\
\end{array}
$$

Práctica con supervisión

Reagrupa y resta.

2

Decenas	Unidades
2	6
−	7

¡Comprueba!

+		7
	2	6

Paso 1 Resta las unidades.

Reagrupa las decenas y las unidades de 26.

26 = 2 decenas y ⬭ unidades

⠀⠀= 1 decena y ⬭ unidades

Resta.

⬭ unidades − ⬭ unidades

= ⬭ unidades

Paso 2 Resta las decenas.

⬭ decena − ⬭ decenas

= ⬭ decena

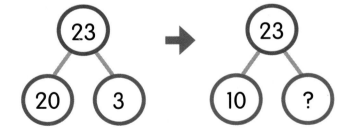

3

Decenas	Unidades
2	3
−	6

4

Decenas	Unidades
3	4
−	8

Puedes usar tablas de valor posicional para restar números con reagrupación.

$41 - 29 = ?$

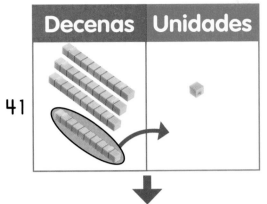

Paso 1 Resta las unidades.

> ¡No puedes restar 9 unidades de 1 unidad! Entonces, necesitas reagrupar.

Reagrupa las decenas y las unidades de 41.

$41 = 4$ decenas y 1 unidad
   $= 3$ decenas y 11 unidades

Resta.

Decenas   Unidades

$$\begin{array}{cc} \overset{3}{\cancel{4}} & \overset{1}{1} \\ -\ \ 2 & 9 \\ \hline & 2 \end{array}$$

11 unidades
– 9 unidades
= 2 unidades

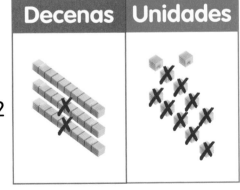

Paso 2 Resta las decenas.

Decenas   Unidades

$$\begin{array}{cc} \overset{3}{\cancel{4}} & \overset{1}{1} \\ -\ \ 2 & 9 \\ \hline 1 & 2 \end{array}$$

3 decenas
– 2 decenas
= 1 decena

Entonces, $41 - 29 = 12$.

¡Comprueba!

Si $41 - 29 = 12$,
entonces, $12 + 29$ debe ser igual a 41.

La respuesta es correcta.

$$\begin{array}{r} 1\ 2 \\ +\ 2\ 9 \\ \hline 4\ 1 \end{array}$$

Práctica con supervisión

Reagrupa y resta.

5

Decenas	Unidades
3	4
− 1	5

¡Comprueba!

+	1	5
	3	4

Paso 1 Resta las unidades.

Reagrupa las decenas y las unidades de 34.

34 = 3 decenas y ⬚ unidades

   = 2 decenas y ⬚ unidades

Resta.

⬚ unidades − ⬚ unidades

= ⬚ unidades

Paso 2 Resta las decenas.

⬚ decenas − ⬚ decena

= ⬚ decena

6

Decenas	Unidades
3	1
− 1	9

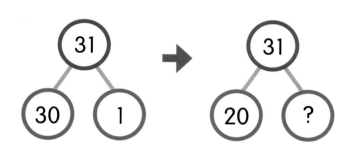

7

Decenas	Unidades
3	5
− 2	8

¡Comprueba!

+	2	8
	3	5

Practiquemos

Reagrupa las decenas y las unidades.
Luego, completa la tabla de valor posicional.

1

25 =

Decenas	Unidades
2	5

=

Decenas	Unidades
1	

2

39 =

Decenas	Unidades
3	9

=

Decenas	Unidades
2	

Reagrupa y resta.

3

Decenas	Unidades
2	4
−	7

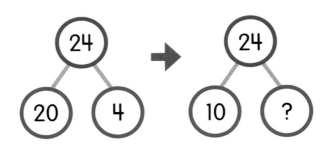

4

Decenas	Unidades
3	1
− 1	4

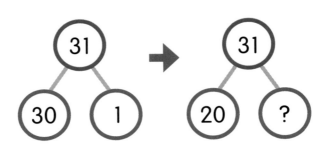

5

Decenas	Unidades
3	3
−	8

6

Decenas	Unidades
3	5
− 1	9

7

Decenas	Unidades
3	7
− 1	9

8

Decenas	Unidades
2	6
− 1	8

9 40 − 18 =

Decenas   Unidades

10 28 − 19 =

Decenas   Unidades

11 34 − 26 =

Decenas   Unidades

12 23 − 6 =

Decenas   Unidades

POR TU CUENTA

Ver Cuaderno de actividades B:
Práctica 4, págs. 73 a 76

5 Sumar tres números

Objetivo de la lección

• Sumar tres números de 1 dígito.

Aprende

Puedes usar números conectados para sumar tres números.

$5 + 7 + 6 = ?$

Método 1

Paso 1   Primero, suma 10.

$5 + 5 = 10$

Paso 2 $2 + 6 = 8$

Paso 3 $10 + 8 = 18$

Entonces, $5 + 7 + 6 = 18$.

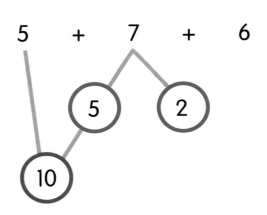

Método 2

Paso 1   Primero, suma 10.

$7 + 3 = 10$

Paso 2 $5 + 3 = 8$

Paso 3 $10 + 8 = 18$

Entonces, $5 + 7 + 6 = 18$.

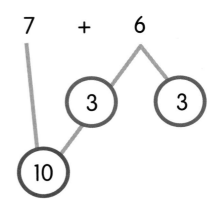

Práctica con supervisión

Forma una decena.
Luego, suma.

1   6   +   8   +   3 =

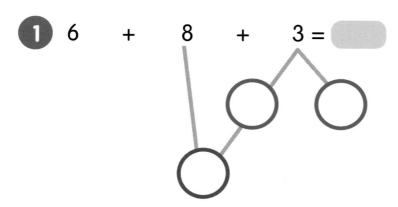

2   9   +   6   +   5 =

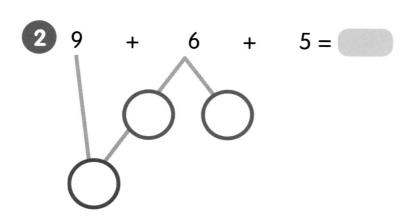

3   7   +   4   +   8 =

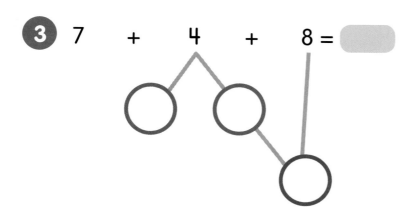

Exploremos

1 $4 + 9 + 2 = ?$

Método 1

Paso 1   Suma los dos primeros números.

$4 + 9 = \boxed{}$

Paso 2   Suma el resultado al tercer número.

$\boxed{} + 2 = \boxed{}$

Entonces, $4 + 9 + 2 = \boxed{}$

Método 2

Paso 1   Suma los dos últimos números.

$9 + 2 = \boxed{}$

Paso 2   Suma el primer número al resultado.

$4 + \boxed{} = \boxed{}$

Entonces, $4 + 9 + 2 = \boxed{}$

¿En qué se parecen los métodos?
¿En qué se diferencian?

2 Muestra dos maneras de sumar los tres números.

$9 + 7 + 8 = $

3 Piensa en 3 números de 1 dígito.
Usa los dos métodos para sumar los números.
¿Obtienes la misma respuesta?

Practiquemos

Suma.

1 $2 + 4 + 8 = $

2 $3 + 6 + 5 = $

3 $6 + 7 + 8 = $

POR TU CUENTA

Ver Cuaderno de actividades B:
Práctica 5, págs. 77 a 78

LECCIÓN 6 Problemas cotidianos: La suma y la resta

Objetivos de la lección

- Resolver problemas cotidianos.

- Usar operaciones relacionadas de suma y resta para comprobar las respuestas a los problemas cotidianos.

Aprende **Puedes usar la suma para resolver problemas cotidianos.**

Rosa tiene 15 .

Juan tiene 3 , más que Rosa.

¿Cuántos tiene Juan?

15

Rosa

Juan

3

?

$15 + 3 = ?$

$15 + 3 = 18$

$$\begin{array}{r} 1\ 5 \\ +\ \ \ 3 \\ \hline 1\ 8 \end{array}$$

Juan tiene 18 .

¡Comprueba!

Si $15 + 3 = 18$, entonces, $18 - 3$ debe ser igual a 15.

$$\begin{array}{r} 1\ 8 \\ -\ \ \ 3 \\ \hline 1\ 8 \end{array}$$

La respuesta es correcta.

Práctica con supervisión

Resuelve. Comprueba tu resultado.

1 Julio prepara 10 vasos de jugo de naranja.
Dave prepara 8 vasos más de jugo de naranja que Julio.
¿Cuántos vasos de jugo de naranja preparó Dave?

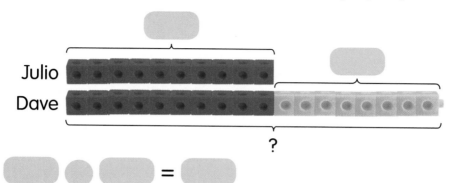

Julio
Dave

?

=

Dave preparó ⬜ vasos de jugo de naranja.

Aprende **Puedes usar la resta para resolver problemas cotidianos.**

Emma tiene 13 adhesivos.
Jermaine tiene 17 adhesivos.
¿Cuántos adhesivos más tiene
Jermaine?

Usa 🧊 para mostrar el número de adhesivos.

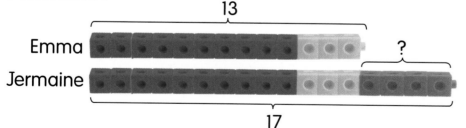

13

Emma

Jermaine

?

17

$17 - 13 = ?$

$17 - 13 = 4$

Jermaine tiene 4
adhesivos más.

¡Comprueba!

Si $17 - 13 = 4$, entonces, $13 + 4$ debe ser igual a 17.

La respuesta es correcta.

$$\begin{array}{r} 1\ 3 \\ +\ \ \ 4 \\ \hline 1\ 7 \end{array}$$

Práctica con supervisión

Resuelve. Comprueba tu resultado.

2 Raúl tiene 19 tarjetas de béisbol.
Tyler tiene 11 tarjetas de béisbol.
¿Cuántas tarjetas de béisbol más tiene Raúl?

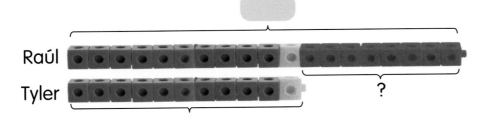

Raúl

Tyler

⬭ ● ⬭ = ⬭

Raúl tiene ⬭ tarjetas de béisbol más.

Aprende **Puedes usar la resta para resolver problemas cotidianos.**

Mike vive en el piso 14.°
Vive 11 pisos más alto que Nora.
¿En qué piso vive Nora?

Usa  para mostrar en qué piso vive cada uno.

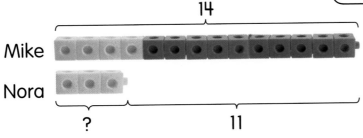

14

Mike

Nora

?   11

$14 - 11 = ?$

$14 - 11 = 3$

Nora vive en el 3.er piso.

$$\begin{array}{r} 1\;4 \\ -\;1\;1 \\ \hline 3 \end{array}$$

¡Comprueba!

Si $14 - 11 = 3$, entonces, $11 + 3$ debe ser igual a 14.

La respuesta es correcta.

$$\begin{array}{r} 1\;1 \\ +\quad3 \\ \hline 1\;4 \end{array}$$

Práctica con supervisión

Resuelve. Comprueba tu resultado.

3 Sam prepara 20 sorpresas para una fiesta.
Prepara 6 sorpresas más que Julia.
¿Cuántas sorpresas preparó Julia?

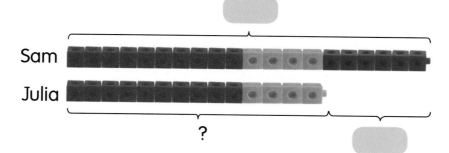

◯ ◯ ◯ = ◯

Julia preparó ◯ sorpresas.

Aprende **Puedes usar la resta para resolver problemas cotidianos.**

Henry prepara 19 tarjetas de San Valentín.
Beth prepara 7 tarjetas menos que Henry.
¿Cuántas tarjetas menos preparó Beth?

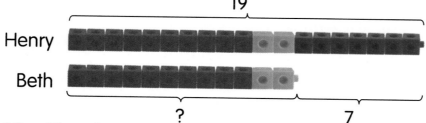

$19 - 7 = ?$

$19 - 7 = 12$

Beth preparó 12 tarjetas.

$$\begin{array}{r} 1\ 9 \\ -\ \ \ 7 \\ \hline 1\ 2 \end{array}$$

¡Comprueba!

Si $19 - 7 = 12$, entonces, $12 + 7$
debe ser igual a 19.

La respuesta es correcta.

$$\begin{array}{r} 1\ 2 \\ +\ \ \ 7 \\ \hline 1\ 9 \end{array}$$

Práctica con supervisión

Resuelve. Comprueba tu resultado.

4 Amy tiene 16 cuentas.
Kevin tiene 7 cuentas menos que Amy.
¿Cuántas cuentas tiene Kevin?

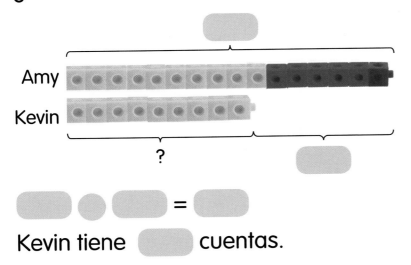

 =

Kevin tiene ⬭ cuentas.

Manos a la obra

TRABAJAR EN PAREJAS

Escribe un cuento de suma y un cuento de resta.

Usa 🧊 **y estas palabras para que te sirvan de ayuda.**

Luego, resuelve los problemas.

1 | Gabe | Ken | más que |
| conchas marinas | cuántas | recoge |

2 | Will | Jonah | menos que |
| tarjetas | cuántas | hace |

Practiquemos

Escribe los números que faltan.

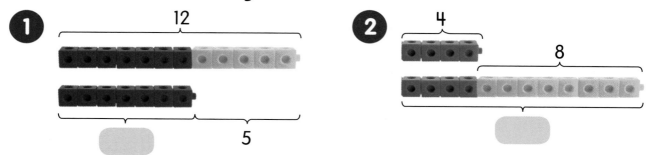

1 12 · · · 5

2 4 · · · 8

Resuelve. Comprueba tu resultado.

3 Alexis tiene 18 conejitos.
Gabriela tiene 12 conejitos.
¿Cuántos conejitos más tiene Alexis?

4 Devan compra 13 adhesivos.
Clara compra 7 adhesivos más que Devan.
¿Cuántos adhesivos más compró Clara?

5 Sita recoge 13 botellas en la playa.
Recoge 8 botellas menos que Tina.
¿Cuántas botellas recogió Tina?

Resuelve. Comprueba tu resultado.

6 Ling contó 17 pajaritos en un parque.
Contó 9 pajaritos más que mariposas.
¿Cuántas mariposas contó Ling?

7 Laura prepara 20 emparedados.
Meg prepara 9 emparedados menos que Laura.
¿Cuántos emparedados preparó Meg?

POR TU CUENTA

Ver Cuaderno de actividades B:
Práctica 6, págs. 79 a 82

DESTREZAS DE RAZONAMIENTO CRÍTICO
¡Ponte la gorra de pensar!

RESOLUCIÓN DE PROBLEMAS

Elige tres de los siguientes números y completa el enunciado de suma.
Usa cada número solo una vez en cada enunciado.

2   3   4   5   6   7

☐ + ☐ + ☐ = 12

☐ + ☐ + ☐ = 12

☐ + ☐ + ☐ = 12

POR TU CUENTA

Ver Cuaderno de actividades B:
¡Ponte la gorra de pensar!
págs. 83 a 86

Resumen del capítulo

Has aprendido…

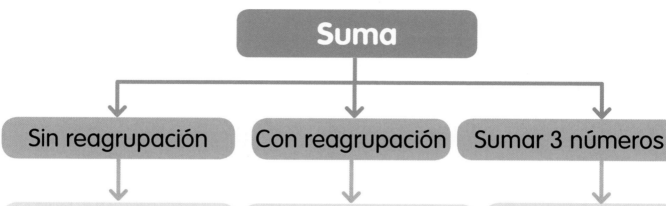

Suma

Sin reagrupación

26 + 3 = ?

Método 1 Cuenta hacia adelante desde el número mayor.

26, 27, 28, 29

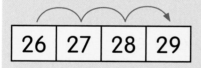

| 26 | 27 | 28 | 29 |

Método 2 Usa una tabla de valor posicional.

Paso 1 Suma las unidades.

Paso 2 Suma las decenas.

Decenas Unidades

	Decenas	Unidades
	2	6
+		3
	2	9

Con reagrupación

17 + 15 = ?

Usa una tabla de valor posicional.

Paso 1 Suma las unidades. Reagrupa las unidades.

Paso 2 Suma las decenas.

Decenas Unidades

	Decenas	Unidades
	¹1	7
+	1	5
	3	2

Sumar 3 números

4 + 7 + 5 = ?

Método 1

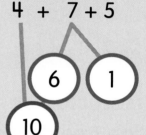

4 + 7 + 5

6 1

10

1 + 5 = 6
10 + 6 = 16

Método 2

4 + 7 + 5

3 2

10

4 + 2 = 6
10 + 6 = 16

Resolver problemas cotidianos

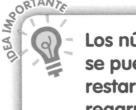

Resta

Sin reagrupación

$25 - 2 = ?$

Método 1

Cuenta hacia atrás desde 25.
25, 24, 23

23	24	25

Método 2

Usa una tabla de valor posicional.

Paso 1   Resta las unidades.

Paso 2   Resta las decenas.

Decenas	Unidades
2	5
−	2
2	3

Con reagrupación

$35 - 17 = ?$

Usa una tabla de valor posicional.

Paso 1   Reagrupa las decenas y las unidades de 35. Resta las unidades.

Paso 2   Resta las decenas.

Decenas	Unidades
²3̷	¹5
+ 1	5
1	8

Resolver problemas cotidianos

POR TU CUENTA

Ver Cuaderno de actividades B:
Repaso/Prueba del capítulo,
págs. 87 a 88

14 Estrategias de cálculo mental

Aprendí lo que hay que hacer

y sé bien que tú también.

Para sumar 13 más 2,

agrupa 13 y suma 2.

Cuando ya sabes la regla,

no necesitas más herramientas.

Ya sea en casa o en la escuela,

¡sorprendo a todos con mi respuesta!

Conozco un truco del tío Rolo

para responder más rápido que todos.

De él mucho aprenderé,

¡y pronto sabré tanto como él!

Agrupa 13 en una decena
y 3 unidades.
13 = 10 y 3
Mantén unidos el 3 y las
unidades.

Lección 1 Suma mental

Lección 2 Resta mental

IDEA IMPORTANTE

**Los números conectados
sirven para sumar y restar
mentalmente.**

Recordar conocimientos previos

Formar números conectados para 10

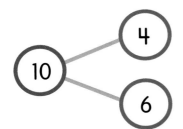
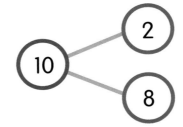

Formar números conectados para otros números

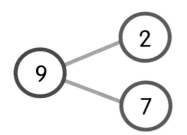
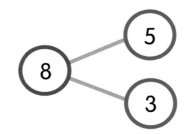

Formar una familia de operaciones

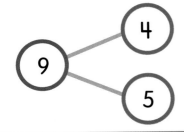

$4 + 5 = 9$
$5 + 4 = 9$
$9 - 4 = 5$
$9 - 5 = 4$

Formar 10 para sumar

$7 + 8 = ?$

$7 + 8 = 10 + 5$
$\qquad = 15$

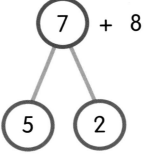

Conocer las operaciones de dobles

Estas son operaciones de dobles.

$$2 + 2 = 4 \qquad 3 + 3 = 6 \qquad 4 + 4 = 8$$

¿Qué es el doble de 3?
El doble de 3 es igual a sumar 3 más a 3.　　$3 + 3$
El doble de 3 es igual a 6.　　　　　　　　$3 + 3 = 6$

Usar una operación de dobles más uno para sumar

$3 + 4 = ?$

Paso 1　　　$3 + 4$

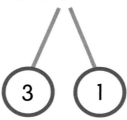

Paso 2　　　$3 + 4 = 3 + 3 + 1$
　　　　　　　$3 + 4$ es el doble de 3 más 1.
　　　　　　　$3 + 4$ es una operación de dobles más uno.

Paso 3　　　El doble de 3 más $1 = 6 + 1$
　　　　　　　　　　　　　　　　　$= 7$

Entonces, $3 + 4 = 7$.

✔ Repaso rápido

Completa cada número conectado.

1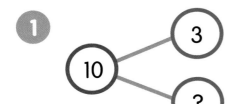

10 — 3, ?

2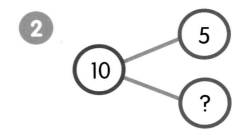

10 — 5, ?

3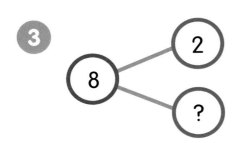

8 — 2, ?

4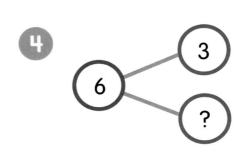

6 — 3, ?

Completa la familia de operaciones.

5

6 — 1, 5

$1 + 5 = $ ⬜

⬜ $+$ ⬜ $=$ ⬜

⬜ $-$ ⬜ $=$ ⬜

⬜ $-$ ⬜ $=$ ⬜

Suma.

6 $7 + 7 = $ ⬜

7 $4 + 5 = $ ⬜

8 $7 + 8 = $ ⬜

9 $5 + 6 = $ ⬜

Suma mental

Objetivos de la lección

- Sumar mentalmente números de 1 dígito.
- Sumar mentalmente un número de 1 dígito a un número de 2 dígitos.
- Sumar mentalmente un número de 2 dígitos a decenas.

Aprende **Puedes usar una operación de dobles para sumar unidades mentalmente.**

Halla 5 + 5.

5 + 5 = 10

5 + 5 es una operación de dobles.

Práctica con supervisión

Suma mentalmente. Usa operaciones de dobles.

7 + 6 es el doble de ⬜ más 1.

1. Halla 7 + 6.

   7 + 6 = ⬜ + 6 + 1

      = ⬜ + ⬜

      = ⬜

Aprende **Puedes usar la estrategia "sumar las unidades" para sumar unidades mentalmente.**

Halla 12 + 6.

Agrupa 12 en decenas y unidades.

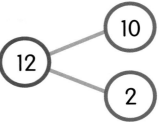

Paso 1 Suma las unidades. $2 + 6 = 8$

Paso 2 Suma el resultado a las decenas. $10 + 8 = 18$

Entonces, 12 + 6 = 18.

Práctica con supervisión

Suma mentalmente.

2 Halla 23 + 4.

Agrupa 23 en decenas y unidades.

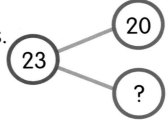

Paso 1 Suma las unidades.

⬜ + 4 = ⬜

Paso 2 Suma el resultado a las decenas.

⬜ + ⬜ = ⬜

Entonces, 23 + 4 = ⬜.

3 Halla 35 + 3. ⬜

Puedes usar la estrategia "sumar las decenas" para sumar decenas mentalmente.

Halla 23 + 10.

Agrupa 23 en decenas y unidades.

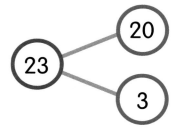

Paso 1 Suma las decenas.   20 + 10 = 30

Paso 2 Suma el resultado a las
unidades.   3 + 30 = 33

Entonces, 23 + 10 = 33.

Práctica con supervisión

Suma mentalmente.

4 Halla 15 + 20.

Agrupa 15 en decenas y unidades.

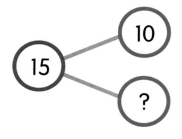

Paso 1 Suma las decenas.   10 + ⬚ = ⬚

Paso 2 Suma el resultado a las
unidades.   ⬚ + ⬚ = ⬚

Entonces, 15 + 20 = ⬚ .

5 Halla 29 + 10. ⬚

TRABAJAR EN GRUPO · **Juego**

¡Suma mentalmente!

Jugadores: 2 a 5
Necesitas:
• tarjetas con números (4, 5, 6, 7, 8 y 9)
• tarjetas con números (6, 7, 8 y 9)

Instrucciones:

 PASO 1 El jugador 1 toma una tarjeta del primer mazo.

 PASO 2 El jugador 1 toma otra tarjeta del segundo mazo.

 PASO 3 El jugador 1 suma los dos números mentalmente.

$8 + 5 = ?$

 PASO 4 Los otros jugadores comprueban el resultado. El jugador 1 obtiene 1 punto si el resultado es correcto. Túrnense para jugar. El juego termina después de 10 rondas.

$8 + 5 = 13$

¡Correcto!

¡El jugador con más puntos gana!

Suma mentalmente.
Usa operaciones de dobles.

1 6 + 7 =

2 9 + 8 =

Suma mentalmente.
Primero, suma las unidades.
Luego, suma el resultado a las decenas.

3 14 + 2 =

4 31 + 8 =

Suma mentalmente.
Primero, suma las decenas.
Luego, suma el resultado a las unidades.

5 25 + 10 =

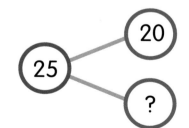

6 10 + 27 =

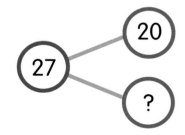

7 17 + 20 =

8 20 + 13 =

POR TU CUENTA

Ver Cuaderno de actividades B:
Práctica 1, págs. 99 a 102

2 Resta mental

Objetivos de la lección

- Restar mentalmente números de 1 dígito.

- Restar mentalmente un número de 1 dígito de un número de 2 dígitos.

- Restar mentalmente decenas de un número de 2 dígitos.

Aprende

Puedes recordar los números conectados para restar unidades mentalmente.

Halla $9 - 4$.

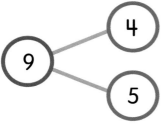

Entonces, $9 - 4 = 5$.

Piensa en la suma. 4 y 5 forman 9.

Práctica con supervisión

Resta mentalmente.

1 Halla $8 - 5$.

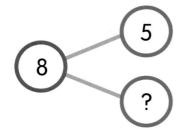

Piensa en la suma. 5 y ___ forman 8.

Entonces, $8 - 5 = $ ___ .

Puedes recordar los números conectados para restar unidades mentalmente.

Halla 13 – 6.

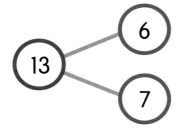

Entonces, 13 – 6 = 7.

Práctica con supervisión

Resta mentalmente.

2 Halla 15 – 9.

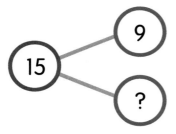

Entonces, 15 – 9 = ⬤ .

3 Halla 17 – 8. ⬤

4 Halla 16 – 7. ⬤

5 Halla 12 – 7. ⬤

Puedes usar la estrategia "restar las unidades" para restar unidades mentalmente.

Halla 28 – 3.

Agrupa 28 en decenas y unidades.

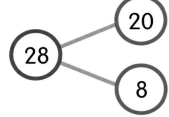

Paso 1   Resta las unidades. $8 - 3 = 5$

Paso 2   Suma el resultado a las decenas. $20 + 5 = 25$

Entonces, $28 - 3 = 25$.

Práctica con supervisión

Resta mentalmente.

6 Halla 37 – 4.

Agrupa 37 en decenas y unidades.

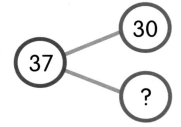

Paso 1   Resta las unidades.

⬭ $- 4 =$ ⬭

Paso 2   Suma el resultado a las decenas.

⬭ $+$ ⬭ $=$ ⬭

Entonces, $37 - 4 =$ ⬭.

7 Halla 36 – 5. ⬭

Puedes usar la estrategia "restar las decenas" para restar decenas mentalmente.

Halla 39 – 10.

Agrupa 39 en decenas y unidades.

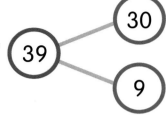

Paso 1   Resta las decenas. $30 - 10 = 20$

Paso 2   Suma el resultado a las unidades. $9 + 20 = 29$

Entonces, 39 – 10 = 29.

Práctica con supervisión

Resta mentalmente.

8 Halla 35 – 20.

Agrupa 35 en decenas y unidades.

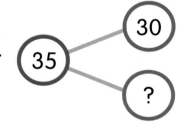

Paso 1   Resta las decenas.

$$30 - \boxed{} = \boxed{}$$

Paso 2   Suma el resultado a las unidades.

$$\boxed{} + \boxed{} = \boxed{}$$

Entonces, 35 – 20 = $\boxed{}$.

9 Halla 29 – 20. $\boxed{}$

TRABAJAR EN GRUPO Juego

¡Resta mentalmente!

Instrucciones:

PASO 1 El jugador 1 toma una tarjeta.

PASO 2 El jugador 1 hace girar la flecha giratoria una vez para obtener un número.

PASO 3 El jugador 1 resta los números mentalmente.

15 – 6 = 9

¡El jugador con más puntos gana!

PASO 4 Los otros jugadores comprueban el resultado. El jugador 1 obtiene 1 punto si el resultado es correcto. Túrnense para jugar. El juego termina después de 10 rondas.

¡Gané!

Exploremos

Hay muchas maneras de sumar dos números de 1 dígito mentalmente.

Ejemplo

8 + 7 = ?

Una manera:

8 + 7 = ?

8 + 7

(2)   (5)

8 + 2 = 10

10 + 5 = 15

1 Piensa en otra manera de sumar 7 y 8 mentalmente.

2 Piensa en dos maneras diferentes de sumar 6 y 7 mentalmente.

Resta mentalmente.
Piensa en la suma.

1 $7 - 5 =$

2 $6 - 4 =$

3 $12 - 6 =$

4 $11 - 8 =$

Resta mentalmente.
Primero, resta las unidades.
Luego, suma el resultado a las decenas.

5 $27 - 6 =$

6 $39 - 4 =$

Resta mentalmente.
Primero, resta las decenas.
Luego, suma el resultado a las unidades.

7 $25 - 10 =$

8 $37 - 20 =$

9 $19 - 10 =$

POR TU CUENTA

Ver Cuaderno de actividades B:
Práctica 2, págs. 103 a 104

¡Ponte la gorra de pensar!

RESOLUCIÓN DE PROBLEMAS

1 Tina suma dos números mentalmente para obtener 24.
El dígito de las unidades de uno de los números es 8.
¿Qué dos números pueden ser?

Hay más de
una respuesta
correcta.

2 Jaime resta dos números para obtener 17.
El dígito de las unidades del número mayor es 9.
¿Qué dos números pueden ser?

POR TU CUENTA

**Ver Cuaderno de actividades B:
¡Ponte la gorra de pensar!
págs. 105 a 106**

Resumen del capítulo

Has aprendido…

Suma mental

Sumar las unidades

$2 + 14 = ?$

(4) (10)

$2 + 4 = 6$
$10 + 6 = 16$

Sumar las decenas

$12 + 20 = ?$

(2) (10)

$10 + 20 = 30$
$2 + 30 = 32$

Usar operaciones de dobles para sumar unidades

$3 + 4 = ?$

(3) (1)

$3 + 4 = 3 + 3 + 1$
$\qquad = 6 + 1$
$\qquad = 7$

Entonces, $3 + 4$ es el doble de 3 más 1.

Resta mental

Recordar los números conectados para restar

$7 - 4 = ?$

(4) (3)

$7 - 4 = 3$

Restar unidades

$27 - 3 = ?$

(20) (7)

$7 - 3 = 4$
$20 + 4 = 24$

Restar decenas

$38 - 10 = ?$

(8) (30)

$30 - 10 = 20$
$20 + 8 = 28$

POR TU CUENTA

Ver Cuaderno de actividades B:
Repaso/Prueba del capítulo,
págs. 107 a 108

El calendario y la hora

Treinta días trae noviembre,
con abril, junio y septiembre.
Veintiocho solo trae uno,
y los demás, treinta y uno.
Y cuando el año bisiesto viene
febrero ya trae veintinueve.

Lección 1 Usar un calendario

Lección 2 Decir la hora en punto

Lección 3 Decir la hora hasta la media hora

IDEA IMPORTANTE

Los calendarios se usan para mostrar los días, las semanas y los meses de un año. Los relojes se usan para leer la hora del día.

Recordar conocimientos previos

Usar números ordinales y posiciones

Los niños jugaron una carrera.

James llegó primero.

Lily llegó tercera.

Kurt llegó último.

Los niños están corriendo una carrera.

Observa la ilustración. Completa las oraciones.

1 ⬜ está cuarta.

2 ⬜ está último.

3 ⬜ está 7.º.

LECCIÓN 1 Usar un calendario

Objetivos de la lección

- Leer un calendario.

- Los días de la semana y los meses del año.

- Escribir la fecha.

- Las estaciones del año.

Vocabulario

calendario	días
semanas	meses
año	fecha
más calientes	más fríos
estaciones	

Aprende **Puedes leer un calendario.**

Cada uno de estos son calendarios.

Un calendario muestra los **días**, las **semanas** y los **meses** de un **año**.

Puedes conocer los días de la semana.

Hay 7 días en una semana.
El primer día de la semana es el domingo.
El último día de la semana es el sábado.

JULIO

Domingo   Lunes   Martes   Miércoles   Jueves   Viernes   Sábado

Cuenta los días de la semana desde el domingo hasta el sábado.

Puedes escribir "Domingo" así: "Dom".

Lunes	→ Lun
Martes	→ Mar
Miércoles	→ Mié
Jueves	→ Jue
Viernes	→ Vie
Sábado	→ Sáb

Práctica con supervisión

Completa.

1 Una semana tiene ____ días.

2 El ____ es el primer día de la semana.

3 El último día de la semana es el ____.

4 El día ____ está justo antes del martes.

5 El día ____ está entre el martes y el jueves.

6 El día ____ está justo después del jueves.

Manos a la obra

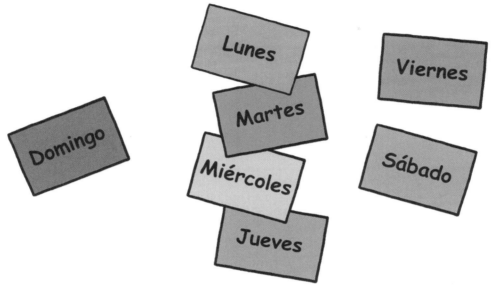

Usa siete tarjetas y escribe en orden los nombres de los 7 días de la semana.

Señala y di el nombre de cada día a tu compañero.

Tu compañero señalará y te dirá el nombre de cada día.

Mezcla las tarjetas y pide a tu compañero que las ordene.

Puedes conocer los meses del año.

ENERO						
Dom	Lun	Mar	Mié	Jue	Vie	Sáb
					1	2
3	4	5	6	7	8	9
10	11	12	13	14	15	16
17	18	19	20	21	22	23
24	25	26	27	28	29	30
31						

FEBRERO						
Dom	Lun	Mar	Mié	Jue	Vie	Sáb
	1	2	3	4	5	6
7	8	9	10	11	12	13
14	15	16	17	18	19	20
21	22	23	24	25	26	27
28						

MARZO						
Dom	Lun	Mar	Mié	Jue	Vie	Sáb
	1	2	3	4	5	6
7	8	9	10	11	12	13
14	15	16	17	18	19	20
21	22	23	24	25	26	27
28	29	30	31			

ABRIL						
Dom	Lun	Mar	Mié	Jue	Vie	Sáb
				1	2	3
4	5	6	7	8	9	10
11	12	13	14	15	16	17
18	19	20	21	22	23	24
25	26	27	28	29	30	

MAYO						
Dom	Lun	Mar	Mié	Jue	Vie	Sáb
						1
2	3	4	5	6	7	8
9	10	11	12	13	14	15
16	17	18	19	20	21	22
23	24	25	26	27	28	29
30	31					

JUNIO						
Dom	Lun	Mar	Mié	Jue	Vie	Sáb
		1	2	3	4	5
6	7	8	9	10	11	12
13	14	15	16	17	18	19
20	21	22	23	24	25	26
27	28	29	30			

JULIO						
Dom	Lun	Mar	Mié	Jue	Vie	Sáb
				1	2	3
4	5	6	7	8	9	10
11	12	13	14	15	16	17
18	19	20	21	22	23	24
25	26	27	28	29	30	31

AGOSTO						
Dom	Lun	Mar	Mié	Jue	Vie	Sáb
1	2	3	4	5	6	7
8	9	10	11	12	13	14
15	16	17	18	19	20	21
22	23	24	25	26	27	28
29	30	31				

SEPTIEMBRE						
Dom	Lun	Mar	Mié	Jue	Vie	Sáb
			1	2	3	4
5	6	7	8	9	10	11
12	13	14	15	16	17	18
19	20	21	22	23	24	25
26	27	28	29	30		

OCTUBRE						
Dom	Lun	Mar	Mié	Jue	Vie	Sáb
					1	2
3	4	5	6	7	8	9
10	11	12	13	14	15	16
17	18	19	20	21	22	23
24	25	26	27	28	29	30
31						

NOVIEMBRE						
Dom	Lun	Mar	Mié	Jue	Vie	Sáb
	1	2	3	4	5	6
7	8	9	10	11	12	13
14	15	16	17	18	19	20
21	22	23	24	25	26	27
28	29	30				

DICIEMBRE						
Dom	Lun	Mar	Mié	Jue	Vie	Sáb
			1	2	3	4
5	6	7	8	9	10	11
12	13	14	15	16	17	18
19	20	21	22	23	24	25
26	27	28	29	30	31	

Un año tiene 12 meses.

El primer mes del año es enero.

El segundo mes del año es febrero.

El último mes del año es diciembre.

Algunos meses tienen 30 días.
Algunos meses tienen 31 días.
¿Cuántos días tiene febrero?

Práctica con supervisión

Completa.

7 Un año tiene ▢ meses.

8 ▢ es el tercer mes del año.

9 Junio es el ▢ mes del año.

10 ▢ es el mes que está entre abril y junio.

11 ▢ es el mes que está justo antes de agosto.

12 ▢ es el mes que está justo después de septiembre.

13 Abril, junio, ▢ y ▢ tienen 30 días.

14 ▢, ▢, ▢, ▢, ▢, ▢ y ▢ tienen 31 días.

15 Febrero tiene ▢ ó ▢ días.

16 La escuela comienza en el mes de ▢.

Puedes usar un calendario como ayuda para escribir la **fecha**.

Agosto de 2010						
Domingo	Lunes	Martes	Miércoles	Jueves	Viernes	Sábado
1	2	3	4	5	6	7
8	9	10	11	12	13	14
15	16	17	18	19	20	21
22	23	24	25	26	27	28
29	30	31				

Este calendario muestra el mes de agosto del año 2010.

El mes comienza un domingo.

La fecha es 1.º de agosto de 2010.

El mes termina un martes.

La fecha es 31 de agosto de 2010.

Si hoy es el segundo miércoles de agosto de 2010, ¿qué fecha es?

Práctica con supervisión

Usa el calendario para completar las oraciones.

17 El segundo día del mes es un _____ .

18 Hay _____ días viernes en este mes de agosto.

19 La fecha del primer martes del mes es _____ .

20 Si hoy es el último miércoles del mes, la fecha es _____ .

21 El primer día del próximo mes es un _____ .

22 Un año después del 10 de agosto de 2010 será el 10 de agosto de _____ .

Puedes conocer los meses y las estaciones del año.

Enero	Febrero	Marzo	Abril
Mayo	Junio	Julio	Agosto
Septiembre	Octubre	Noviembre	Diciembre

Estos son los 12 meses del año.

Los meses nos ayudan a conocer las estaciones del año.

Las cuatro estaciones

Primavera

Verano

Otoño

Invierno

Hay 4 estaciones en el año.

Son la primavera, el verano, el otoño y el invierno.

Algunos meses son **más calientes**.

Otros son **más fríos**.

Práctica con supervisión

Completa.

23 ¿Es diciembre uno de los meses más fríos para ti?
Explica tu respuesta.

Manos a la obra

Haz tu propio calendario.

Marca las fechas especiales.

Algunas fechas especiales son los cumpleaños,
las vacaciones y los días de escuela.

Recuerda, el primer día de
un mes puede ser cualquier
día de la semana.

Completa los espacios en blanco.
Usa el calendario como ayuda.

2010

ENERO						
Dom	Lun	Mar	Mié	Jue	Vie	Sáb
					1	2
3	4	5	6	7	8	9
10	11	12	13	14	15	16
17	18	19	20	21	22	23
24	25	26	27	28	29	30
31						

FEBRERO						
Dom	Lun	Mar	Mié	Jue	Vie	Sáb
	1	2	3	4	5	6
7	8	9	10	11	12	13
14	15	16	17	18	19	20
21	22	23	24	25	26	27
28						

MARZO						
Dom	Lun	Mar	Mié	Jue	Vie	Sáb
	1	2	3	4	5	6
7	8	9	10	11	12	13
14	15	16	17	18	19	20
21	22	23	24	25	26	27
28	29	30	31			

ABRIL						
Dom	Lun	Mar	Mié	Jue	Vie	Sáb
				1	2	3
4	5	6	7	8	9	10
11	12	13	14	15	16	17
18	19	20	21	22	23	24
25	26	27	28	29	30	

MAYO						
Dom	Lun	Mar	Mié	Jue	Vie	Sáb
						1
2	3	4	5	6	7	8
9	10	11	12	13	14	15
16	17	18	19	20	21	22
23	24	25	26	27	28	29
30	31					

JUNIO						
Dom	Lun	Mar	Mié	Jue	Vie	Sáb
		1	2	3	4	5
6	7	8	9	10	11	12
13	14	15	16	17	18	19
20	21	22	23	24	25	26
27	28	29	30			

JULIO						
Dom	Lun	Mar	Mié	Jue	Vie	Sáb
				1	2	3
4	5	6	7	8	9	10
11	12	13	14	15	16	17
18	19	20	21	22	23	24
25	26	27	28	29	30	31

AGOSTO						
Dom	Lun	Mar	Mié	Jue	Vie	Sáb
1	2	3	4	5	6	7
8	9	10	11	12	13	14
15	16	17	18	19	20	21
22	23	24	25	26	27	28
29	30	31				

SEPTIEMBRE						
Dom	Lun	Mar	Mié	Jue	Vie	Sáb
			1	2	3	4
5	6	7	8	9	10	11
12	13	14	15	16	17	18
19	20	21	22	23	24	25
26	27	28	29	30		

OCTUBRE						
Dom	Lun	Mar	Mié	Jue	Vie	Sáb
					1	2
3	4	5	6	7	8	9
10	11	12	13	14	15	16
17	18	19	20	21	22	23
24	25	26	27	28	29	30
31						

NOVIEMBRE						
Dom	Lun	Mar	Mié	Jue	Vie	Sáb
	1	2	3	4	5	6
7	8	9	10	11	12	13
14	15	16	17	18	19	20
21	22	23	24	25	26	27
28	29	30				

DICIEMBRE						
Dom	Lun	Mar	Mié	Jue	Vie	Sáb
			1	2	3	4
5	6	7	8	9	10	11
12	13	14	15	16	17	18
19	20	21	22	23	24	25
26	27	28	29	30	31	

1 El cuarto mes del año es _____ .

2 La fecha una semana después del 8 de mayo de 2010 es _____ .

3 La estación para el mes de enero es _____ .

4 La fecha del segundo martes de marzo es _____ .

5 El Día de la Independencia, 4 de julio, es un _____ .

6 _____ es la fecha dos semanas antes del 26 de agosto de 2010.

7 Las vacaciones de verano comienzan en el mes de _____ .

8 _____ es el único mes que tiene 28 días.

POR TU CUENTA

Ver Cuaderno de actividades B:
Práctica 1, págs. 109 a 112

2 Decir la hora en punto

Objetivos de la lección

- Usar la frase *en punto* para decir la hora hasta la hora.

- Leer y mostrar la hora en punto en un reloj.

Vocabulario

en punto

minutero

horario

Aprende

Puedes decir la hora en punto.

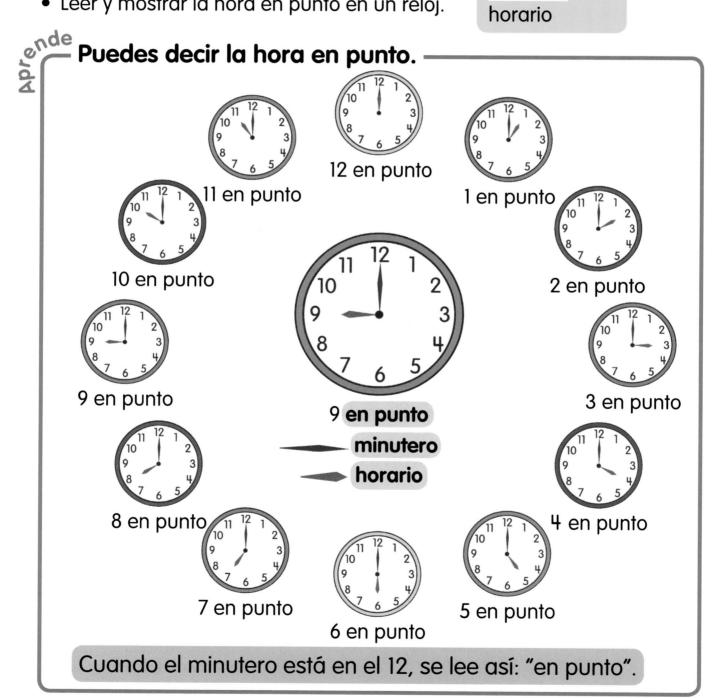

11 en punto

12 en punto

1 en punto

10 en punto

2 en punto

9 en punto

3 en punto

8 en punto

4 en punto

7 en punto

6 en punto

5 en punto

9 **en punto**

minutero

horario

Cuando el minutero está en el 12, se lee así: "en punto".

Práctica con supervisión

Responde a la pregunta.

Lautaro

Ahora son las 12 en punto.

No, son las 5 en punto.

Sherry

1 ¿Quién tiene razón?

Di la hora.
Completa.

2

3

4

5

 **Manos a la obra**

1 Usa un plato de papel, un gancho, un minutero y un horario para hacer tu propio reloj.

Escribe los números en el reloj.

Ahora, usa tu reloj para mostrar estas horas.

2 en punto   **8 en punto**   **12 en punto**

5 en punto   9 en punto

2 Usa el reloj para mostrar la hora en que haces estas actividades.

Despertarte   Cenar   Ir a dormir

Almorzar en la cafetería

Escribe la hora.

Empareja la ilustración con la hora.
Elige el reloj correcto.

A   B

La clase de matemáticas comienza a la mañana.

4

A   B

La hora del almuerzo es a las
12 en punto.

POR TU CUENTA

Ver Cuaderno de actividades B:
Práctica 2, págs. 113 a 118

3 Decir la hora hasta la media hora

Objetivos de la lección

- Leer la hora hasta la media hora.
- Usar la frase "y media".
- Relacionar la hora con actividades diarias.

Aprende

Puedes decir la hora hasta la **media hora**.

Por la mañana, Leo se despierta a las 7 en punto.

Leo desayuna a las 7 **y media**.

Cuando el minutero está en el 6, ha pasado media hora de una hora en punto.

¡El horario también se ha movido!

Práctica con supervisión

Completa.
Usa el reloj como ayuda.

 1

Pedro le da de comer a su gato a las _____ de la mañana.

 2

Los niños juegan a las _____ de la tarde.

 3

Marisa lee un cuento a las _____ de la noche.

Completa.
Usa el reloj como ayuda.

4 Papá León y Leoncito van a la feria a las _____ .

5 A las _____ , Papá León juega a un juego.

6 Papá León gana el juego y recibe un pollito de juguete a las _____ .

7 A las _____ , Papá León y Leoncito suben a la rueda gigante.

Practiquemos

Escribe la hora.

 1

2

Empareja la ilustración con la hora.
Elige el reloj correcto.

3

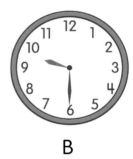

A   B

Papá mira televisión por la noche antes de dormir.

4

A   B

La escuela comienza a la mañana.

POR TU CUENTA

Ver Cuaderno de actividades B:
Práctica 3, págs. 119 a 124

DESTREZAS DE RAZONAMIENTO CRÍTICO

¡Ponte la gorra de pensar!

RESOLUCIÓN DE PROBLEMAS

1

> A las 6 y media, el horario
> y el minutero señalan el número 6.

¿Es esto correcto?
Explica tu respuesta.

2 ¿A qué hora del día el minutero y el horario
estarán uno sobre el otro?

POR TU CUENTA

Ver Cuaderno de actividades B:
¡Ponte la gorra de pensar!
págs. 125 a 126

Resumen del capítulo

IDEA IMPORTANTE

Los calendarios se usan para mostrar los días, las semanas y los meses de un año. Los relojes se usan para leer la hora del día.

Has aprendido…

El calendario y la hora

Calendario

Hora

| Los días de la semana | Los meses del año | Las estaciones del año | Decir y escribir la hora en punto | Decir y escribir la hora hasta la media hora |

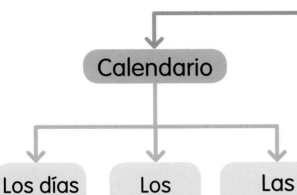

Domingo
Lunes
Martes
Miércoles
Jueves
Viernes
Sábado

Enero
Febrero
Marzo
Abril
Mayo
Junio
Julio
Agosto
Septiembre
Octubre
Noviembre
Diciembre

Primavera
Verano
Otoño
Invierno

2 en punto

5 y media

POR TU CUENTA

Ver Cuaderno de actividades B:
Repaso/Prueba del capítulo,
págs. 127 a 128

Los números hasta 100

IDEA IMPORTANTE

Contar, comparar y ordenar números del 1 al 100.

Recordar conocimientos previos

Contar hasta 40

30
treinta

31, 32, 33, 34, 35, 36, 37, 38, 39, 40

cuarenta

Unir decenas y unidades

30 y 4 suman 34.

34 es igual a 30 y 4.

30 + 4 = 34

Usar el valor posicional

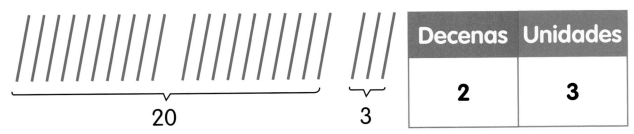

20

3

Decenas	Unidades
2	3

23 es igual a 2 decenas y 3 unidades.

23 = 20 + 3

Comparar y ordenar números

Compara 36, 39 y 40.

Compara las decenas.
4 decenas es mayor que 3 decenas.
40 es el número mayor.

Las decenas de 36 y 39 son iguales.
Entonces, compara las unidades.

6 unidades es menos que 9 unidades.
Entonces, 36 es menor que 39.
36 es el número menor.

Ordena los números de mayor a menor.
40, 39, 36

Decenas	Unidades
3	6
3	9
4	0

Formar patrones numéricos

24, 27, 30, 33, 36, 39

Los números están ordenados en un patrón.
Cada número es 3 más que el número anterior.

 **Repaso rápido**

Cuenta hacia adelante.

1 27, 28, 29, ____, ____, ____

2 35, 36, 37, ____, ____, ____

Escribe los números que faltan.

3 20 y 8 suman ⬭ .

4 35 es igual a ⬭ más 5.

5 30 + ⬭ = 37

6 26 = ⬭ decenas y ⬭ unidades

7 2 decenas y 9 unidades = ⬭

Compara y ordena.

28	32	19

8 El número menor es ⬭ .

9 El número mayor es ⬭ .

10 Ordena los números de menor a mayor.
⬭ , ⬭ , ⬭
menor

Completa el patrón numérico.

11 31, 33, 35, ⬭ , ⬭ , 41

12 30, 27, 24, ⬭ , ⬭ , ⬭ , 12

Contar hasta 100

Objetivos de la lección

- Contar hacia adelante desde 41 hasta 100.
- Leer y escribir desde 41 hasta 100 en números y en palabras.

Puedes contar números mayores que 40.

Cuenta los palitos.

10 palitos = 1 decena   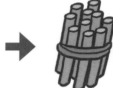   diez

20 palitos = 2 decenas      veinte

Cuenta los atados de 10.

5 decenas = **50**

cincuenta

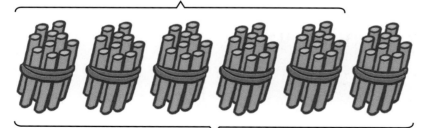

10,... 20,... 30,... 40,... 50

6 decenas = **60**

sesenta

7 decenas = **70**

setenta

8 decenas = **80**

ochenta

9 decenas = **90**

noventa

10 decenas = **100**

cien

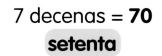

Puedes contar de diez en diez y de uno en uno.

40
cuarenta

Hay 53 ◼.

40, ... 50
cuarenta, ...
cincuenta

40, ... 50, 51, 52, 53
cuarenta, ... cincuenta,
cincuenta y uno, cincuenta
y dos, cincuenta y tres

Práctica con supervisión

Cuenta de diez en diez y de uno en uno.
Luego, escribe los números que faltan.

1

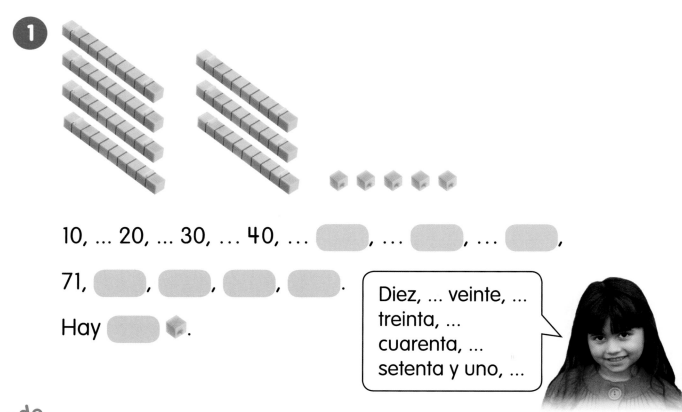

10, … 20, … 30, … 40, … [ ], … [ ], … [ ],

71, [ ], [ ], [ ], [ ].

Hay [ ] [ ].

Diez, … veinte, …
treinta, …
cuarenta, …
setenta y uno, …

Aprende

Puedes contar de diez en diez.

¡10, 20, 30, 40, 50,
60, 70, 80, 90, 100!
¡10 decenas = 100!

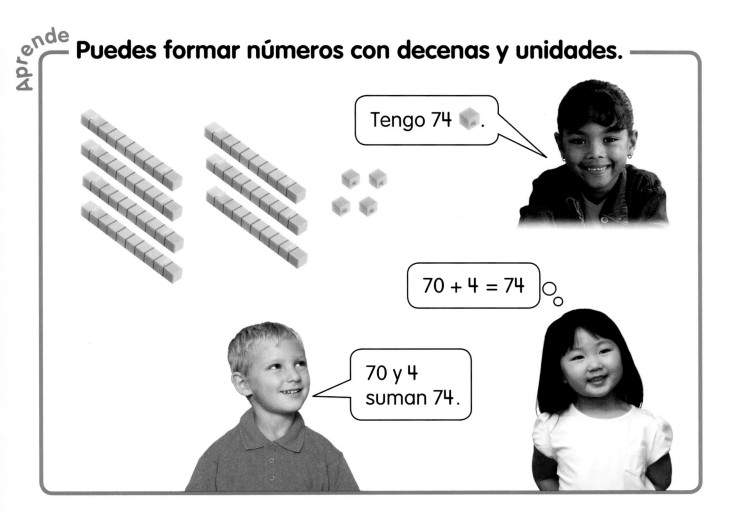

Puedes formar números con decenas y unidades.

Tengo 74 🔲.

70 + 4 = 74

70 y 4 suman 74.

Práctica con supervisión

Escribe el número que falta.

2 50 + 4 = ⬜

3 60 y 7 suman ⬜.

4 7 y 70 suman ⬜.

5 80 y 2 suman ⬜.

6 3 y 90 suman ⬜.

7 9 + 90 = ⬜

Puedes estimar el número de cosas.

¿Aproximadamente cuántos 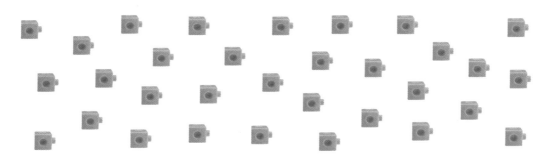 hay?

Paso 1   Encierra en un círculo un grupo de 10 🟦.

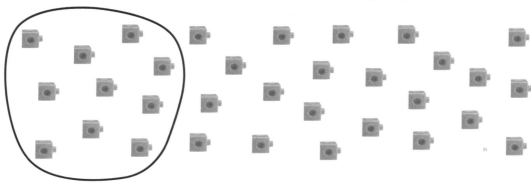

Paso 2   Observa el resto de los 🟦.
Sin contar, di aproximadamente cuántos
grupos más de 10 hay.

Hay aproximadamente 3 grupos de
10 en total.
10 + 10 + 10 = 30
Hay **aproximadamente** 30 🟦.

Hay aproximadamente 30 🟦.

Paso 3   Cuenta los .

> Contemos. 1, 2, 3, 4, ... 10, ... 20, ... 30, 31, 32.
> Hay 32  en total.

Hay 32 .

El número real de  es 32.

Cuando estimas el número de cosas, calculas aproximadamente cuántas hay.

Práctica con supervisión

Encierra en un círculo un grupo de 10 .
Estima cuántos  hay.
Luego, cuéntalos.

8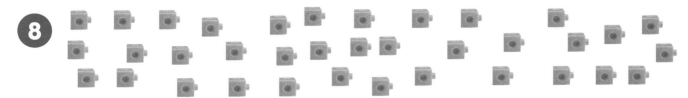

Estimación: ____

Cuenta: ____

9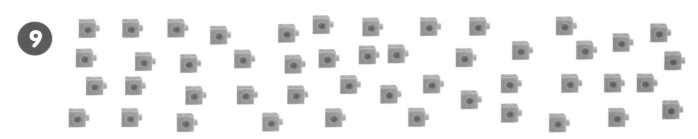

Estimación: ____

Cuenta: ____

Cuenta.

1

10, … 20, … 30, … 40, … 50, … 60, … ____, … ____, … ____, 91, ____, ____, ____, ____

Hay ____ palitos.

Escribe el número.

2 cuarenta y ocho ____   **3** cien ____

Escribe el número en palabras.
Usa las letras desordenadas como ayuda.

4 50 aineccnut ____   **5** 91 nvaeton oun y ____

Escribe los números que faltan.

6 80 y 5 suman ____ .

7 ____ es igual a 7 y 50.

8 9 + 70 = ____

9 90 + 8 = ____

10 ____ y 9 suman 89.

11 40 y ____ suman 47.

¿Se te ocurren otros números que sumen 89 y 47?

Encierra en un círculo un grupo de 10.
Estima cuántos hay.
Luego, cuéntalos.

12

Estimación: ⬜

Cuenta: ⬜

13

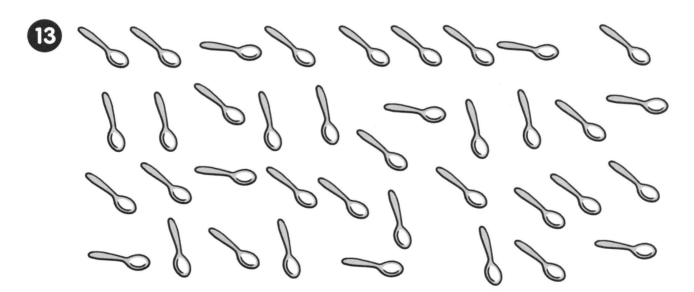

Estimación: ⬜

Cuenta: ⬜

POR TU CUENTA

Ver Cuaderno de actividades B:
Práctica 1, págs. 135 a 138

2 Valor posicional

Objetivos de la lección

- Usar una tabla de valor posicional para representar números hasta 100.
- Representar hasta 100 objetos en decenas y unidades.

Aprende **Puedes usar el valor posicional para representar números hasta 100.**

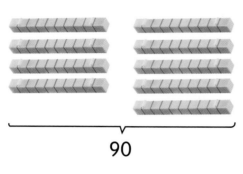

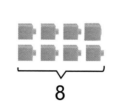

Decenas	Unidades
9	8

90   8

98 = 9 decenas y 8 unidades

98 = 90 + 8

Práctica con supervisión

Usa el valor posicional para escribir los números que faltan.

 1

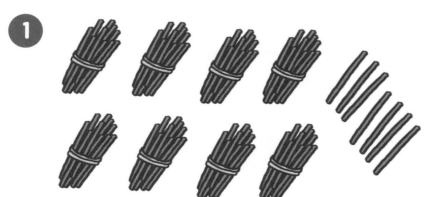

Decenas	Unidades

87 = decenas y ___ unidades

Manos a la obra

TRABAJAR EN GRUPO

Usa 100  .

Representa estos números en decenas y unidades.

Puedes hacer un atado con cada grupo de diez / .

| 38 | 45 | 56 | 72 | 97 |

Practiquemos

Observa cada tabla de valor posicional.
Halla el número que se representa.

Decenas	Unidades

Decenas	Unidades

Cuenta de diez en diez y de uno en uno.
Escribe los números que faltan.

Decenas	Unidades

60 = ____ decenas y ____ unidades

60 + 0 = ____

Decenas	Unidades

54 = ____ decenas y ____ unidades

50 + 4 = ____

96 = ____ decenas y ____ unidades

90 + 6 = ____

Decenas	Unidades

POR TU CUENTA

Ver Cuaderno de actividades B:
Práctica 2, págs. 139 a 142

Comparar, ordenar y patrones sin completar

LECCIÓN 3

Objetivos de la lección

- Usar una estrategia para comparar números hasta 100.
- Comparar números hasta 100.
- Ordenar números hasta 100.
- Escribir los números que faltan en un patrón numérico.

Vocabulario
recta numérica

Aprende **Puedes usar una recta numérica para contar y comparar números.**

Esta es una recta numérica.
Los números están ordenados para formar un patrón regular.

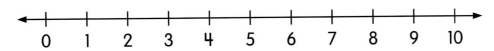

Puedes usar una recta numérica para contar hacia adelante para hallar cuántos más hay y hacia atrás para hallar cuántos menos hay.

Una recta numérica es similar a la cinta para contar de la página 66 del capítulo 12.

| 0 | 1 | 2 | 3 | 4 | 5 | 6 | 7 | 8 | 9 | 10 |

Continúa

Lección 3 Comparar, ordenar y patrones sin completar **187**

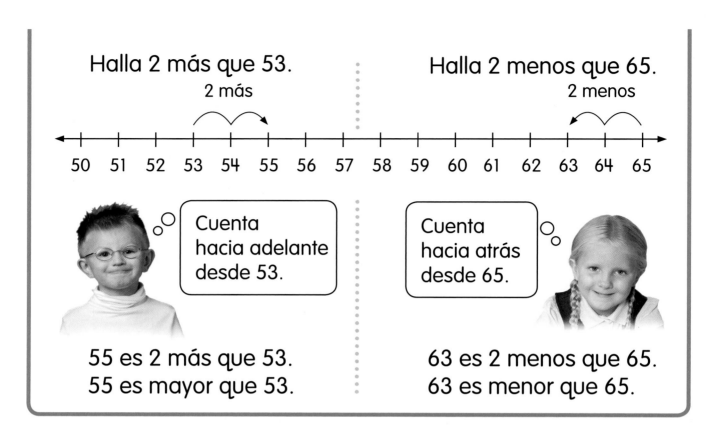

Halla 2 más que 53.

2 más

Halla 2 menos que 65.

2 menos

50 51 52 53 54 55 56 57 58 59 60 61 62 63 64 65

Cuenta hacia adelante desde 53.

Cuenta hacia atrás desde 65.

55 es 2 más que 53.
55 es mayor que 53.

63 es 2 menos que 65.
63 es menor que 65.

Práctica con supervisión

Escribe los números que faltan.
Usa la recta numérica como ayuda.

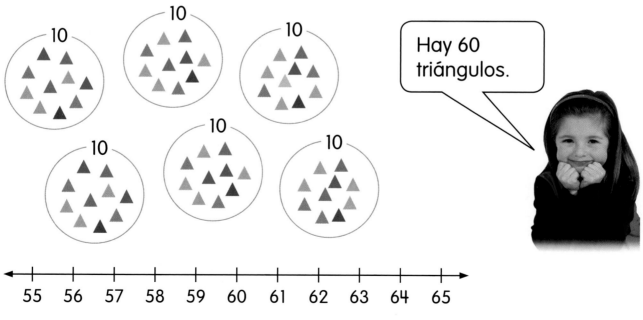

10 10 10 10 10 10

Hay 60 triángulos.

55 56 57 58 59 60 61 62 63 64 65

1 3 más que 60 es igual a   .

2 3 menos que 60 es igual a   .

 # Manos a la obra

Usa una tabla con los números hasta cien.

1	2	3	4	5	6	7	8	9	10
11	12	13	14	15	16	17	18	19	20
21	22	23	24	25	26	27	28	29	30
31	32	33	34	35	36	37	38	39	40
41	42	43	44	45	46	47	48	49	50
51	52	53	54	55	56	57	58	59	60
61	62	63	64	65	66	67	68	69	70
71	72	73	74	75	76	77	78	79	80
81	82	83	84	85	86	87	88	89	90
91	92	93	94	95	96	97	98	99	100

1 PASO 1 Comienza en 50. Cuenta hacia adelante de 5 en 5.

PASO 2 Encierra el número en un círculo rojo.
Escribe el número en un papel.

PASO 3 Cuenta hacia adelante de 5 en 5 otra vez. Luego,
repite el **PASO 2**. Hazlo seis veces.

PASO 4 Escribe dos enunciados con las palabras **más que**
y **menos que**.

Ejemplo

65 es 5 más que 60.

70 es 5 menos que 75.

Continúa

2 **PASO 1** Comienza en 72. Cuenta hacia adelante de 2 en 2.

PASO 2 Encierra el número en un círculo amarillo.
Escribe el número en un papel.

PASO 3 Cuenta hacia adelante de 2 en 2 otra vez.
Luego, repite el **PASO 2**. Hazlo diez veces.

PASO 4 Observa la recta numérica. Escribe los números
que faltan.

72 ⬜ ⬜ ⬜ ⬜ 82 ⬜ ⬜ ⬜ ⬜ ⬜ ⬜

PASO 5 Escribe dos enunciados con las palabras **más que** y
menos que.

3 **PASO 1** Comienza en 25. Cuenta hacia adelante de 10 en 10.

PASO 2 Encierra el número en un círculo verde.
Escribe el número en un papel.

PASO 3 Cuenta hacia adelante de 10 en 10 otra vez.
Luego, repite el **PASO 2**. Hazlo cinco veces.

PASO 4 Observa la recta numérica. Escribe los números
que faltan.

25 ⬜ ⬜ ⬜ 45 ⬜ ⬜

PASO 5 Escribe dos enunciados con las palabras **más que** y
menos que.

 **Manos a la obra**

PASO 1 Usa dos flechas giratorias. Haz girar la flecha giratoria A para obtener un número menor que 10.

PASO 2 Haz girar la flecha giratoria B para obtener un número menor que 100.

PASO 3 Tu compañero usa los dos números para completar los enunciados.

1 ⬜ más que ⬜ es igual a ⬜ .

2 ⬜ menos que ⬜ es igual a ⬜ .

Usa una recta numérica como ayuda.

Ejemplo

Haces girar las flechas giratorias y obtienes estos números.

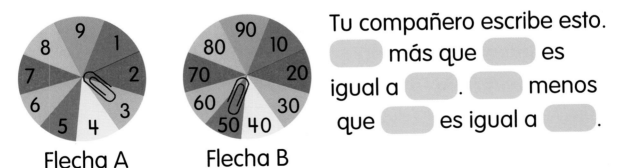

Flecha A   Flecha B

Tu compañero escribe esto.

⬜ más que ⬜ es igual a ⬜ . ⬜ menos que ⬜ es igual a ⬜ .

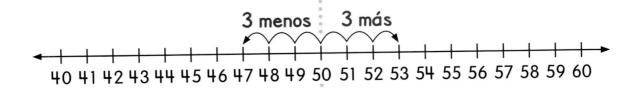

3 menos   3 más

40 41 42 43 44 45 46 47 48 49 50 51 52 53 54 55 56 57 58 59 60

Puedes comparar números cuando las decenas son diferentes.

Compara 60 y 59.

Decenas	Unidades
6	0

Compara las decenas. Las decenas son diferentes. 6 decenas son mayores que 5 decenas.

Decenas	Unidades
5	9

Entonces, 60 es mayor que 59.

Práctica con supervisión

Compara los números.

3 ¿Cuál número es mayor?
¿Cuál número es menor?

 72   56

¿Son iguales las decenas?

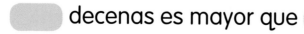 decenas es mayor que  decenas.

Entonces, es mayor que .

 es menor que _____ .

Puedes comparar números cuando las decenas son iguales.

Las decenas son iguales. Entonces, compara las unidades. 7 es menor que 9.

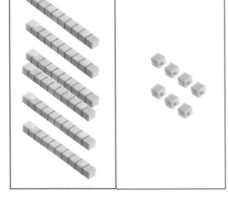

Decenas	Unidades
6	7

Decenas	Unidades
6	9

Entonces, 67 es menor que 69.

Práctica con supervisión

Compara los números.

4 ¿Cuál número es mayor?
¿Cuál número es menor?

¿Son iguales las decenas?
¿Son iguales las unidades?

87   84

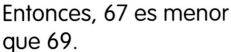 unidades son mayores que unidades.

Entonces, es mayor que .

 es menor que .

Compara los números.

5 ¿Cuál es el número menor?
¿Cuál es el número mayor?

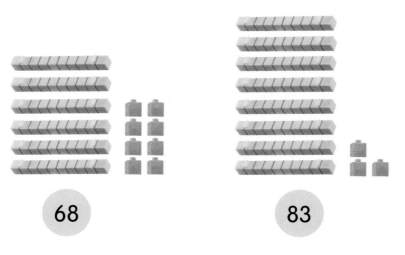 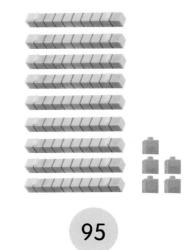

68   83   95

El número menor es ⬭.

¿Por qué es el número menor?

¿Por qué 95 es mayor que 83?

El número mayor es ⬭.

Ordena los números de mayor a menor.

⬭, ⬭, ⬭

mayor

Ordena los números de menor a mayor.

6   84   48   100

7   56   59   58

Aprende **Puedes sumar o restar para escribir los números que faltan en un patrón.**

Los números de la recta numérica forman un patrón.
Faltan algunos números.

¿Cómo hallas los números?

5 más que 50 es igual a 55.
5 menos que 60 es igual a 55.

5 más que 80 es igual a 85. 5 menos que 90 es igual a 85.

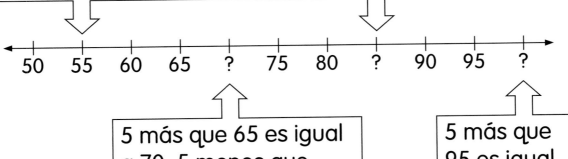

5 más que 65 es igual a 70. 5 menos que 75 es igual a 70.

5 más que 95 es igual a 100.

Sumo 5 a un número para hallar 5 más que ese número. Resto 5 de un número para hallar 5 menos que ese número.

Práctica con supervisión

Los números de la recta numérica forman un patrón.
Escribe los números que faltan.

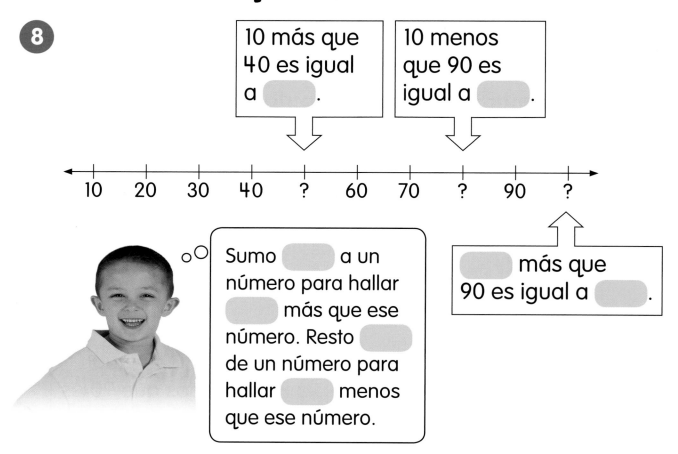

8

10 más que 40 es igual a _____ .

10 menos que 90 es igual a _____ .

Sumo _____ a un número para hallar _____ más que ese número. Resto _____ de un número para hallar _____ menos que ese número.

_____ más que 90 es igual a _____ .

Escribe los números que faltan.

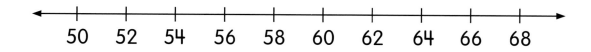

9 2 más que 52 es igual a _____ .

10 _____ es 2 menos que 62.

11 2 menos que 66 es igual a _____ .

¿Cuál es mi número?

Instrucciones:

PASO 1 Piensa en un número entre 50 y 100.

PASO 2 Los jugadores se turnan para hacerte preguntas y así hallar el número.

PASO 3 Solo puedes responder a las preguntas con **Sí** o con **No**.

PASO 4 ¡A ver quién descubre el número correcto primero!

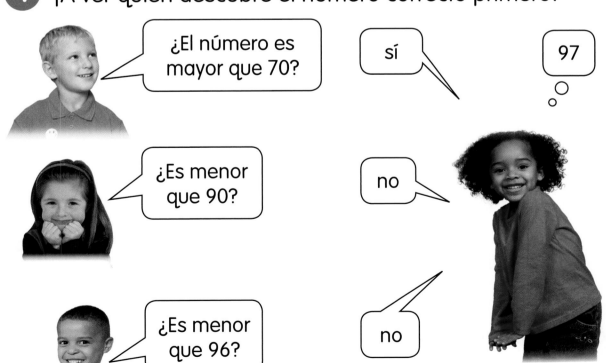

¿El número es mayor que 70?

sí

97

¿Es menor que 90?

no

¿Es menor que 96?

no

Practiquemos

Compara.

1 ¿Cuál conjunto tiene más? 〔　〕

¿Cuál número es mayor? 〔　〕

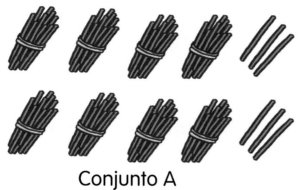

Conjunto A

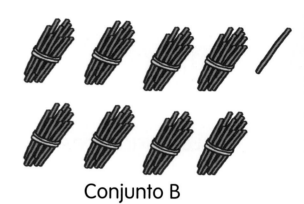

Conjunto B

2 ¿Cuál conjunto tiene menos? 〔　〕

¿Cuál número es menor? 〔　〕

Conjunto A

Conjunto B

Compara.
¿Cuál número es mayor?

3 62 ó 59 〔　〕

4 79 ó 84 〔　〕

Compara.
¿Cuál número es menor?

5 78 ó 90 〔　〕

6 68 ó 52 〔　〕

Compara.

71   78   85

7 ¿Cuál número es el menor? ◯

8 ¿Cuál número es el mayor? ◯

Completa.

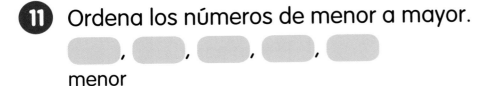

82   53   95   60   79

9 ¿Cuál número es el mayor? ◯

10 ¿Cuál número es el menor? ◯

11 Ordena los números de menor a mayor.

◯ , ◯ , ◯ , ◯ , ◯

menor

12 ¿Qué número es 5 más que 95? ◯

13 ¿Qué número es 5 menos que 95? ◯

14 Escribe dos números mayores que 53 pero menores que 79.

◯ ◯

15 Escribe dos números menores que 82 pero mayores que 79.

◯ ◯

Escribe los números que faltan en cada patrón.

16 56, 57, 58, 59, ◯ , 61, 62, ◯ , ◯ , 65

17 81, 83, 85, ◯ , 89, ◯ , ◯

18 ◯ , ◯ , 98, 97, 96, ◯

19 95, 85, 75, ◯ , ◯ , ◯ , 35

POR TU CUENTA

Ver Cuaderno de actividades B:
Práctica 3, págs. 143 a 146

Exploremos

1	2	3	4	5	6	7	8	9	10
11	12	13	14	15	16	17	18	19	20
21	22	23	24	25	26	27	28	29	30
31	32	33	34	35	36	37	38	39	40
41	42	43	44	45	46	47	48	49	50
51	52	53	54	55	56	57	58	59	60
61	62	63	64	65	66	67	68	69	70
71	72	73	74	75	76	77	78	79	80
81	82	83	84	85	86	87	88	89	90
91	92	93	94	95	96	97	98	99	100

Escribe 5 patrones numéricos diferentes que comiencen con 33.

Ejemplo

33, 37, 41, 45, 49

Piensa en el conteo salteado.

LECTURA Y ESCRITURA
Diario de matemáticas

Explica cómo obtuviste los números en los patrones que escribiste en la actividad Exploremos.

Ejemplo

33, 37, 41, 45, 49

Obtuve cada número sumando 4 al número anterior.

$$+4 \qquad +4$$

33, 37, 41, 45, 49

¡Ponte la gorra de pensar!

RESOLUCIÓN DE PROBLEMAS

Coloca cada trajeta con números en la máquina de números para formar un patrón de 5 números.

En cada tarjeta, se muestra la regla para formar el patrón.

Ejemplo

45

Coloca la tarjeta con el número "45" en la máquina de números. Obtendrás "48". Esto es **3 más que** 45, es decir, es una **regla de + 3**. Toma la tarjeta con el número "48" y colócala en la máquina de números otra vez. Repite esto 3 veces.

45

48

Patrón: 45, 48, 51, 54, 57

Regla: +3

1 | 36 | Regla: Sumar 5 al número que se puso en la máquina.

2 | 51 | Regla: Restar 2 del número que se puso en la máquina.

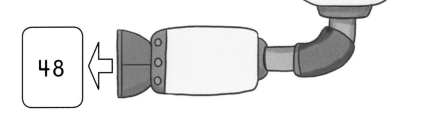

POR TU CUENTA

Ver Cuaderno de actividades A:
¡Ponte la gorra de pensar!
págs. 147 a 150

Resumen del capítulo

Has aprendido…

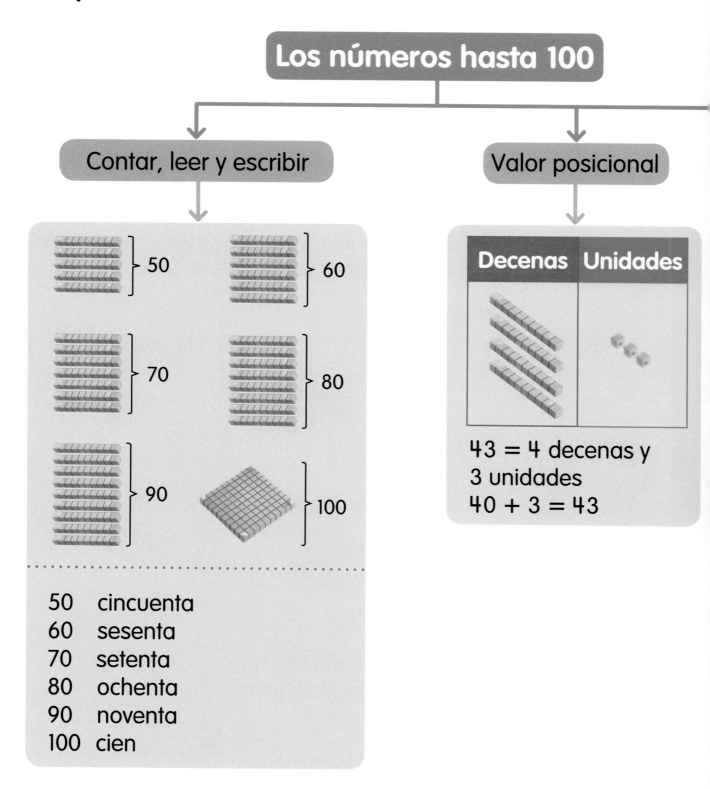

Los números hasta 100

Contar, leer y escribir

50

60

70

80

90

100

Valor posicional

Decenas	Unidades

43 = 4 decenas y
3 unidades
40 + 3 = 43

50   cincuenta
60   sesenta
70   setenta
80   ochenta
90   noventa
100 cien

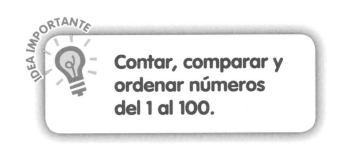
Comparar y ordenar

65   59   78

65 es mayor que 59.
59 es menor que 65.

El número mayor es 78.
El número menor es 59.

65 es 6 más que 59.
59 es 6 menos que 65.

Ordena los números de menor a
mayor.
59   65   78

Una recta numérica se usa para
comparar y ordenar números.

Patrones

a 67, 69, 71, 73, 75

Regla: Suma 2 para
obtener el número
que sigue.

b 100, 95, 90, 85, 80

Regla: Resta 5 para
obtener el número
que sigue.

POR TU CUENTA

Ver Cuaderno de actividades B:
Repaso/Prueba del
capítulo, págs. 151 a 152

CAPÍTULO 17

Sumas y restas hasta 100

Tengo 78 patitos.

50 patitos se fueron a nadar.

Me quedan 28 patitos.

IDEA IMPORTANTE

Los números hasta 100 pueden sumarse y restarse con o sin reagrupación.

Recordar conocimientos previos

Formar decenas y unidades

Decenas	Unidades
5	4

54 = 5 decenas y 4 unidades

Sumar decenas y unidades con reagrupación

16 + 17 = ?

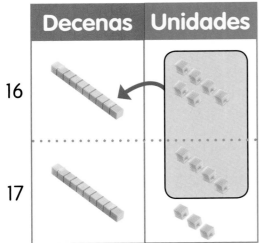

Decenas	Unidades
16	
17	

Paso 1 Suma las unidades.

$$
\begin{array}{cc}
\text{Decenas} & \text{Unidades} \\
\overset{1}{1} & 6 \\
+\quad 1 & 7 \\
\hline
 & 3
\end{array}
$$

6 unidades + 7 unidades = 13 unidades

Reagrupa las unidades.
13 unidades = 1 decena y 3 unidades

Decenas	Unidades
33	

Paso 2 Suma las decenas.

$$
\begin{array}{cc}
\text{Decenas} & \text{Unidades} \\
\overset{1}{1} & 6 \\
+\quad 1 & 7 \\
\hline
3 & 3
\end{array}
$$

1 decena+ 1 decena + 1 decena = 3 decenas

Entonces, 16 + 17 = 33.

Restar decenas y unidades

$35 - 18 = ?$

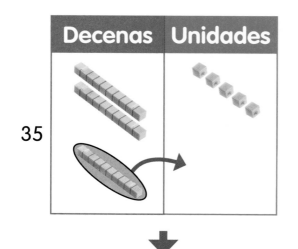

Paso 1 Resta las unidades. Reagrupa las decenas y las unidades de 35.

35 = 3 decenas y 5 unidades
= 2 decenas y 15 unidades

Decenas Unidades

$$\begin{array}{r} \overset{2}{\cancel{3}} \quad {}^{1}5 \\ - \quad 1 \quad\quad 8 \\ \hline 7 \end{array}$$

15 unidades – 8 unidades = 7 unidades

Paso 2 Resta las decenas.

Decenas Unidades

$$\begin{array}{r} \overset{2}{\cancel{3}} \quad {}^{1}5 \\ - \quad 1 \quad\quad 8 \\ \hline 1 \quad\quad 7 \end{array}$$

2 decenas – 1 decena = 1 decena

Entonces, 35 – 18 = 17.

Operaciones de suma y resta relacionadas

$6 + 9 = 15$ ················· $15 - 9 = 6$

$15 - 6 = 9$ ················· $9 + 6 = 15$

Comprobar los resultados de sumas y restas usando operaciones relacionadas

Si $39 - 14 = 25$, entonces $25 + 14$ debe ser igual a 39.
Suma 25 y 14 para comprobar tu resultado.
El resultado es correcto.

$$
\begin{array}{r}
2\ 5 \\
+\ 1\ 4 \\
\hline
3\ 9
\end{array}
$$

Si $24 + 9 = 33$, entonces $33 - 9$ debe ser igual a 24.
Resta 9 de 33 para comprobar tu resultado.
El resultado es correcto.

$$
\begin{array}{r}
3\ 3 \\
-\ \ \ 9 \\
\hline
2\ 4
\end{array}
$$

✔ Repaso rápido

Escribe los números que faltan.

1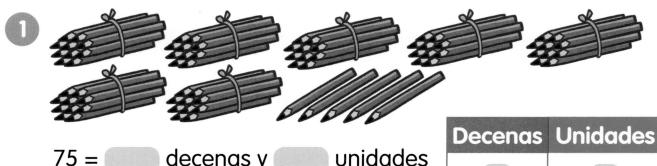

$75 = $ ⬜ decenas y ⬜ unidades

Decenas	Unidades
⬜	⬜

Escribe los números que faltan.

2 $17 -$ ⬜ $= 9$

3 ⬜ $+ 5 = 16$

Demuestra cómo comprobar que los resultados son correctos.

4
```
   2 4
 +   8
 ─────
   3 2
```

5
```
   3 2
 − 1 3
 ─────
   1 9
```

Suma. Demuestra cómo comprobar tu resultado.

6 $23 + 6 =$ ⬜

7 $19 + 8 =$ ⬜

8 $14 + 15 =$ ⬜

9 $23 + 17 =$ ⬜

Resta. Demuestra cómo comprobar tu resultado.

10 $37 - 5 =$ ⬜

11 $30 - 8 =$ ⬜

12 $25 - 14 =$ ⬜

13 $32 - 16 =$ ⬜

1 Suma sin reagrupación

Objetivos de la lección

- Sumar un número de 2 dígitos y un número de 1 dígito sin reagrupación.
- Sumar dos números de 2 dígitos sin reagrupación.

Aprende

Puedes sumar unidades a un número de diferentes maneras.

$55 + 4 = ?$

Método 1 Cuenta hacia adelante a partir del número mayor.

55, 56, 57, 58, 59

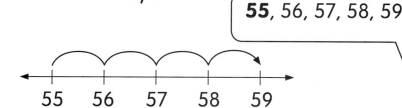

55 56 57 58 59

Método 2 Usa una tabla de valor posicional.

Decenas	Unidades
55	
4	

Paso 1 Suma las unidades.

Decenas   Unidades

$$\begin{array}{cc} 5 & 5 \\ + & 4 \\ \hline & 9 \end{array}$$

5 unidades + 4 unidades = 9 unidades

Paso 2 Suma las decenas.

Decenas Unidades

$$\begin{array}{cc} 5 & 5 \\ + & 4 \\ \hline 5 & 9 \end{array}$$

5 decenas + 0 decenas = 5 decenas

Entonces, $55 + 4 = 59$.

Práctica con supervisión

Completa.

1 82 + 7 = ?

Método 1 Cuenta hacia adelante a partir del número mayor.

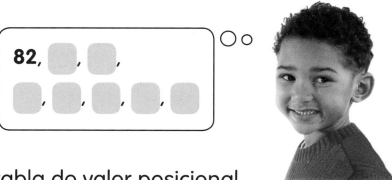

Método 2 Usa una tabla de valor posicional.

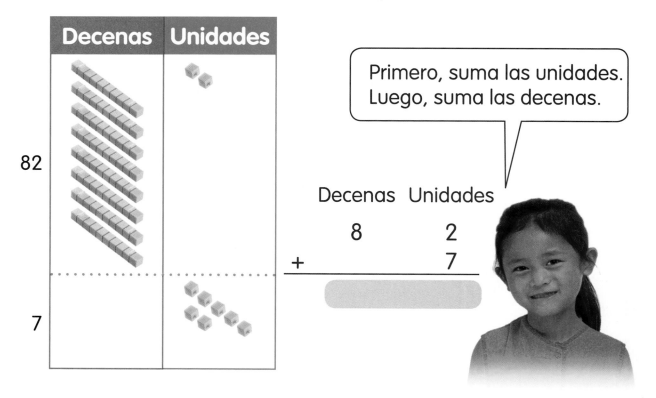

Primero, suma las unidades.
Luego, suma las decenas.

Decenas	Unidades
8	2
+	7

Entonces, 82 + 7 =   .

Puedes usar tablas de valor posicional para sumar decenas.

$40 + 50 = ?$

Decenas	Unidades
40	
50	

Paso 1 Suma las unidades.

Decenas   Unidades

$$\begin{array}{ccc} & 4 & 0 \\ + & 5 & 0 \\ \hline & & 0 \end{array}$$

0 unidades + 0 unidades = 0 unidades

Paso 2 Suma las decenas.

Decenas   Unidades

$$\begin{array}{ccc} & 4 & 0 \\ + & 5 & 0 \\ \hline & 9 & 0 \end{array}$$

4 decenas + 5 decenas = 9 decenas

4 decenas + 5 decenas = 9 decenas

$40 + 50 = 90$

Entonces, $40 + 50 = 90$.

Puedes usar tablas de valor posicional para sumar decenas a un número.

$46 + 30 = ?$

Decenas	Unidades
46	
30	

Paso 1 Suma las unidades.

Decenas Unidades

$$\begin{array}{cc} 4 & 6 \\ + \quad 3 & 0 \\ \hline & 6 \end{array}$$

6 unidades + 0 unidades = 6 unidades

Paso 2 Suma las decenas.

Decenas Unidades

$$\begin{array}{cc} 4 & 6 \\ + \quad 3 & 0 \\ \hline 7 & 6 \end{array}$$

4 decenas + 3 decenas = 7 decenas

46 + 30

40   6   30   0

$6 + 0 = 6$
$40 + 30 = 70$
$6 + 70 = 76$

Entonces, $46 + 30 = 76$.

Práctica con supervisión

Completa.

2

Decenas	Unidades
5	0
+ 3	0

Paso 1 Suma las unidades.

⬭ unidades + ⬭ unidades = ⬭ unidades

Paso 2 Suma las decenas.

⬭ decenas + ⬭ decenas = ⬭ decenas

3

Decenas	Unidades
5	8
+ 2	0

Paso 1 Suma las unidades.

⬭ unidades + ⬭ unidades = ⬭ unidades

Paso 2 Suma las decenas.

⬭ decenas + ⬭ decenas = ⬭ decenas

Puedes usar una tabla de valor posicional para sumar dos números.

$42 + 56 = ?$

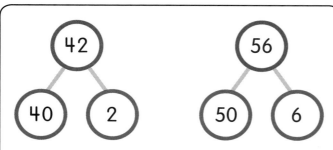

$42 = 4$ decenas y 2 unidades
$56 = 5$ decenas y 6 unidades

Decenas	Unidades
42	
56	

Paso 1 Suma las unidades.

```
Decenas  Unidades

   4        2
+  5        6
_____
            8
```

2 unidades $+ 6$ unidades $= 8$ unidades

Paso 2 Suma las decenas.

```
Decenas  Unidades

   4        2
+  5        6
_____
   9        8
```

4 decenas $+ 5$ decenas $= 9$ decenas

Entonces, $42 + 56 = 98$.

Práctica con supervisión

Completa.

4

Decenas	Unidades
5	3
+ 3	6

Paso 1   Suma las unidades.

⬭ unidades + ⬭ unidades = ⬭ unidades

Paso 2 Suma las decenas.

⬭ decenas + ⬭ decenas = ⬭ decenas

Practiquemos

Cuenta hacia adelante para sumar.

1 $62 + 6 =$ ⬭

2 $84 + 4 =$ ⬭

Suma.

3

Decenas	Unidades
4	6
+	3

4

Decenas	Unidades
2	0
+ 7	0

5

Decenas	Unidades
4	7
+ 5	0

6

Decenas	Unidades
3	2
+ 4	7

POR TU CUENTA

Ver Cuaderno de actividades B:
Práctica 1, págs. 153 a 156

LECCIÓN 2 Suma con reagrupación

Objetivos de la lección

• Sumar un número de 2 dígitos y un número de 1 dígito con reagrupación.

• Sumar dos números de 2 dígitos con reagrupación.

Aprende **Puedes usar tablas de valor posicional para sumar unidades a un número con reagrupación.**

$66 + 7 = ?$

66 = 6 decenas y 6 unidades

Decenas	Unidades
66	
7	

Paso 1 Suma las unidades.

Decenas   Unidades

$$
\begin{array}{r}
\overset{1}{6} \quad 6 \\
+ \quad\quad 7 \\
\hline
3
\end{array}
$$

6 unidades + 7 unidades = 13 unidades

Reagrupa las unidades.

13 unidades = 1 decena y 3 unidades

Decenas	Unidades
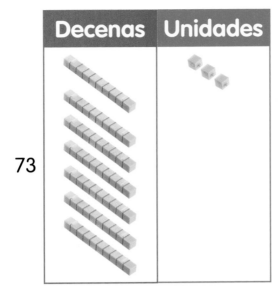	

73

Entonces, 66 + 7 = 73.

Paso 2 Suma las decenas.

Decenas   Unidades

$$
\begin{array}{cc}
\overset{1}{6} & 6 \\
+ & 7 \\
\hline
7 & 3 \\
\end{array}
$$

1 decena + 6 decenas +
0 decenas = 7 decenas

Práctica con supervisión

Suma y reagrupa.

1

Decenas   Unidades

$$
\begin{array}{cc}
6 & 2 \\
+ & 9 \\
\hline
\end{array}
$$

Paso 1 Suma las unidades.

2 unidades + 9 unidades = ⬜ unidades
Reagrupa las unidades.

⬜ unidades = 1 decena y ⬜ unidad

Paso 2 Suma las decenas.

⬜ decena + 6 decenas + 0 decenas =

⬜ decenas

2

Decenas   Unidades

$$
\begin{array}{cc}
5 & 6 \\
+ & 8 \\
\hline
\end{array}
$$

3 36 + 5 = ⬜

4 53 + 9 = ⬜

 Manos a la obra

TRABAJAR EN GRUPO

Usa una flecha giratoria.

flecha giratoria

PASO 1 Haz girar la flecha giratoria para obtener un número.

¡6!

PASO 2 Suma este número a 52 y resuelve.

52 +   =

52 + 6 = ?

PASO 3 Haz girar la flecha giratoria para obtener otro número. Suma este número a 64 y resuelve.

64 +   =

PASO 4 Pide a alguien de tu grupo que compruebe tu trabajo. Túrnate con tus compañeros para hacer girar la flecha giratoria y resolver.

Puedes usar tablas de valor posicional para sumar números con reagrupación.

33 + 18 = ?

> 33 = 3 decenas y 3 unidades
> 18 = 1 decena y 8 unidades

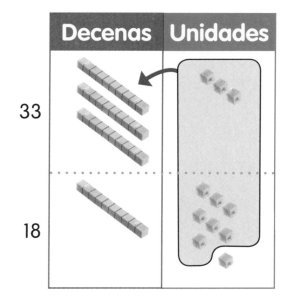

Paso 1 Suma las unidades.

Decenas Unidades

$$\begin{array}{r} \overset{1}{3}\quad\ 3 \\ +\ 1\quad\ 8 \\ \hline 1 \end{array}$$

3 unidades + 8 unidades = 11 unidades

Reagrupa las unidades.
11 unidades = 1 decena y 1 unidad

Paso 2 Suma las decenas.

Decenas Unidades

$$\begin{array}{r} \overset{1}{3}\quad\ 3 \\ +\ 1\quad\ 8 \\ \hline 5\quad\ 1 \end{array}$$

1 decena + 3 decenas + 1 decena = 5 decenas

Entonces, 33 + 18 = 51.

Práctica con supervisión

Suma y reagrupa.

5

Decenas	Unidades
4	7
+ 3	8

Paso 1 Suma las unidades.

⬭ unidades + ⬭ unidades =
⬭ unidades

Reagrupa las unidades.

⬭ unidades = ⬭ decena y
⬭ unidades

Paso 2 Suma las unidades.

⬭ decena + ⬭ decenas +
⬭ decenas = ⬭ decenas

6

Decenas	Unidades
2	8
+ 1	4

7

Decenas	Unidades
5	4
+ 2	7

8

Decenas	Unidades
3	5
+ 3	6

9

Decenas	Unidades
4	9
+ 2	3

10

Decenas	Unidades
6	3
+ 2	8

11

Decenas	Unidades
7	7
+ 1	9

Practiquemos

Completa.

1 7 unidades + 5 unidades = ▢ unidades

= 1 decena y ▢ unidades

2 9 unidades + 6 unidades = ▢ unidades

= ▢ decena y 5 unidades

Suma y reagrupa.

3

Decenas	Unidades
7	5
+	8
▢	

4

Decenas	Unidades
8	7
+	6
▢	

5

Decenas	Unidades
5	5
+ 3	7
▢	

6

Decenas	Unidades
2	3
+ 6	8
▢	

7 76 + 9 = ▢

Decenas	Unidades
▢	▢
+ ▢	▢
▢	

8 14 + 56 = ▢

Decenas	Unidades
▢	▢
+ ▢	▢
▢	

POR TU CUENTA

Ver Cuaderno de actividades B:
Práctica 2, págs. 157 a 162

3 Resta sin reagrupación

Objetivos de la lección

- Restar un número de 1 dígito de un número de 2 dígitos sin reagrupación.

- Restar un número de 2 dígitos de otro número de 2 dígitos sin reagrupación.

Aprende

Puedes restar unidades de un número de diferentes maneras.

$48 - 3 = ?$

Método 1 Cuenta hacia atrás a partir del número mayor.

45 46 47 48

48, 47, 46, 45

Método 2 Usa una tabla de valor posicional.

Decenas	Unidades
48	

Paso 1 Resta las unidades.

Decenas   Unidades

4   8   8 unidades −
−   3   3 unidades =
    5   5 unidades

Decenas	Unidades
45	

Paso 2 Resta las decenas.

Decenas   Unidades

4   8   4 decenas −
−   3   0 decenas =
4   5   4 decenas

Entonces, $48 - 3 = 45$.

Práctica con supervisión

Resta.

1 68 − 6 = ?

Método 1 Cuenta hacia atrás a partir del número mayor.

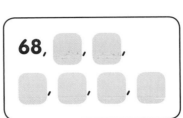

Método 2 Usa una tabla de valor posicional.

68

Primero, resta las unidades.
Luego, resta las decenas.

Decenas	Unidades
6	8
−	6

Entonces, 68 − 6 = ⬭.

Puedes usar tablas de valor posicional para restar decenas.

$70 - 40 = ?$

Decenas	Unidades
70	

Paso 1 Resta las unidades.

Decenas Unidades

$$\begin{array}{cc} 7 & 0 \\ - \quad 4 & 0 \\ \hline & 0 \end{array}$$

0 unidades –
0 unidades =
0 unidades

Decenas	Unidades
30	

Paso 2 Resta las decenas.

Decenas Unidades

$$\begin{array}{cc} 7 & 0 \\ - \quad 4 & 0 \\ \hline 3 & 0 \end{array}$$

7 decenas –
4 decenas =
3 decenas

7 decenas – 4 decenas = 3 decenas
$70 - 40 = 30$

Entonces, $70 - 40 = 30$.

¡Comprueba!

Si $70 - 40 = 30$,
entonces, $30 + 40$ debe ser
igual a 70.
El resultado es correcto.

$$\begin{array}{r} 3\ 0 \\ +\ 4\ 0 \\ \hline 7\ 0 \end{array}$$

Práctica con supervisión

Resta.

2 $60 - 40 = ?$

Decenas	Unidades

60

Primero, resta las unidades. Luego, resta las decenas.

Decenas	Unidades

20

Decenas	Unidades
6	0
− 4	0

6 decenas − 4 decenas = ☐ decenas

$60 - 40 = $ ☐

¡Comprueba!

```
    ☐
+  4 0
-------
   6 0
```

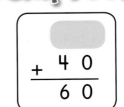

Entonces, $60 - 40 = $ ☐ .

Puedes usar tablas de valor posicional para restar decenas de un número.

55 – 30 = ?

Decenas	Unidades
55	

Decenas	Unidades
25	

Paso 1 Resta las unidades.

Decenas Unidades

$$\begin{array}{cc} 5 & 5 \\ -\quad 3 & 0 \\ \hline & 5 \end{array}$$

5 unidades – 0 unidades = 5 unidades

Paso 2 Resta las decenas.

Decenas Unidades

$$\begin{array}{cc} 5 & 5 \\ -\quad 3 & 0 \\ \hline 2 & 5 \end{array}$$

5 decenas – 3 decenas = 2 decenas

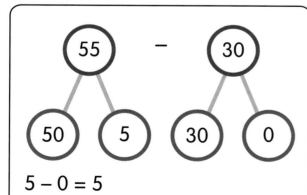

5 – 0 = 5
50 – 30 = 20
5 + 20 = 25

Entonces, 55 – 30 = 25.

¡Comprueba!

Si 55 – 30 = 25, entonces, 25 + 30 debe ser igual a 55. El resultado es correcto.

$$\begin{array}{r} 2\ 5 \\ +\ 3\ 0 \\ \hline 5\ 5 \end{array}$$

Puedes usar tablas de valor posicional para restar un número de otro número.

$58 - 24 = ?$

> $58 = 5$ decenas y 8 unidades
> $24 = 2$ decenas y 4 unidades

Decenas	Unidades
58	

Paso 1 Resta las unidades.

Decenas   Unidades

$$\begin{array}{c c} 5 & \boxed{8} \\ -\ 2 & \boxed{4} \\ \hline & \boxed{4} \end{array}$$

8 unidades – 4 unidades = 4 unidades

Decenas	Unidades
34	

Paso 2 Resta las decenas.

Decenas   Unidades

$$\begin{array}{c c} \boxed{5} & 8 \\ -\ \boxed{2} & 4 \\ \hline \boxed{3} & 4 \end{array}$$

5 decenas – 2 decenas = 3 decenas

Entonces, $58 - 24 = 34$.

¡Comprueba!

Si $58 - 24 = 34$,
entonces, $34 + 24$ debe ser
igual a 58.

$$\begin{array}{r} 3\ 4 \\ +\ 2\ 4 \\ \hline 5\ 8 \end{array}$$

El resultado es correcto.

Práctica con supervisión

Completa.

2

Decenas	Unidades
7	2
− 4	0

Paso 1 Resta las unidades.

[ ] unidades − [ ] unidades = [ ] unidades

Paso 2 Resta las decenas.

[ ] decenas − [ ] decenas = [ ] decenas

¡Comprueba!

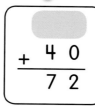

	[ ]
+	4 0
	7 2

○ ○

3

Decenas	Unidades
6	9
− 3	3

Paso 1 Resta las unidades.

[ ] unidades − [ ] unidades = [ ] unidades

Paso 2 Resta las decenas.

[ ] decenas − [ ] decenas = [ ] decenas

¡Comprueba!

	[ ]
+	3 3
	6 9

○ ○

Practiquemos

Cuenta hacia atrás para restar. Comprueba tu resultado.

1 87 − 4 = ⬚

2 79 − 3 = ⬚

Resta.

3

Decenas	Unidades
6	8
−	5
⬚	

4

Decenas	Unidades
9	0
− 4	0
⬚	

5

Decenas	Unidades
7	7
− 5	0
⬚	

6

Decenas	Unidades
9	9
− 7	1
⬚	

7 53 − 2 = ⬚

Decenas	Unidades
⬚	⬚
− ⬚	⬚
⬚	

8 89 − 23 = ⬚

Decenas	Unidades
⬚	⬚
− ⬚	⬚
⬚	

POR TU CUENTA

Ver Cuaderno de actividades B:
Práctica 3, págs. 163 a 166

4 Resta con reagrupación

Objetivos de la lección

• Restar un número de 1 dígito de un número de 2 dígitos con reagrupación.

• Restar números de 2 dígitos con reagrupación.

Aprende **Puedes usar tablas de valor posicional para restar unidades con reagrupación.**

52 – 9 = ?

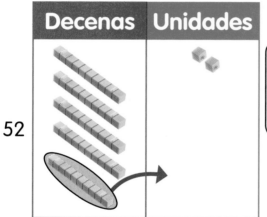

Paso 1 Resta las unidades.

¡No puedes restar 9 unidades de 2 unidades! Por eso, tienes que reagrupar.

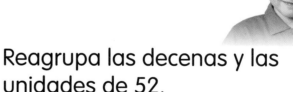

Reagrupa las decenas y las unidades de 52.

52 = 5 decenas y 2 unidades
   = 4 decenas y 12 unidades

Resta

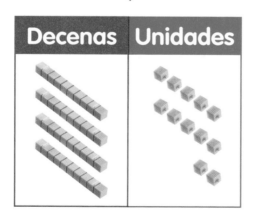

Decenas	Unidades
$\overset{4}{\cancel{5}}$	$^{1}2$
–	9
	3

12 unidades – 9 unidades = 3 unidades

Decenas	Unidades

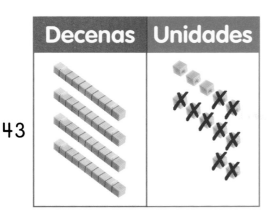

43

Paso 2 Resta las decenas.

Decenas   Unidades

$$\begin{array}{cc} 4 \\ 5 & {}^12 \\ + & 9 \\ \hline 4 & 3 \end{array}$$

4 decenas – 0 decenas = 4 decenas

Entonces,
52 – 9 = 43.

¡Comprueba!

Si 52 – 9 = 43,
entonces, 43 + 9 debe ser igual a 52.
El resultado es correcto.

$$\begin{array}{r} 4\ 3 \\ +\ \ \ 9 \\ \hline 5\ 2 \end{array}$$

Práctica con supervisión

Reagrupa y resta.

1

Decenas   Unidades

$$\begin{array}{cc} 5 & 5 \\ - & 7 \\ \hline \end{array}$$

¡Comprueba!

○ ○

$$\begin{array}{r} \\ +\ \ \ 7 \\ \hline 5\ 5 \end{array}$$

Paso 1 Resta las unidades.

Reagrupa las decenas y las unidades de 55.

55 = 5 decenas y ⬜ unidades

  = 4 decenas y ⬜ unidades

Resta

⬜ unidades – ⬜ unidades = ⬜ unidades

Paso 2 Resta las decenas.

⬜ decenas – ⬜ decenas = ⬜ decenas

2

Decenas   Unidades

$$\begin{array}{cc} 7 & 3 \\ - & 6 \\ \hline \end{array}$$

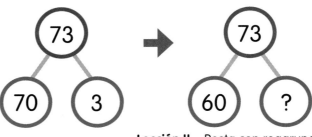

73

73

70   3   60   ?

Puedes usar tablas de valor posicional para restar números con reagrupación.

$54 - 38 = ?$

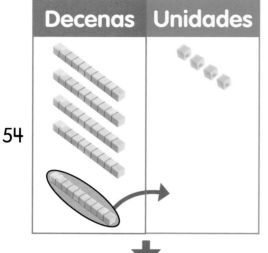

Decenas	Unidades

54

Paso 1 Resta las unidades.

¡No puedes restar 8 unidades de 4 unidades! Tienes que reagrupar.

Reagrupa las decenas y las unidades de 54.

$54 = 5$ decenas y 4 unidades
$ = 4$ decenas y 14 unidades

Resta

Decenas	Unidades
$\overset{4}{\cancel{5}}$	$^1 4$
$- \quad 3$	8
	6

14 unidades – 8 unidades = 6 unidades

Paso 2 Resta las decenas.

Decenas	Unidades
$\overset{4}{\cancel{5}}$	$^1 4$
$- \quad 3$	8
1	6

4 decenas – 3 decenas = 1 decena

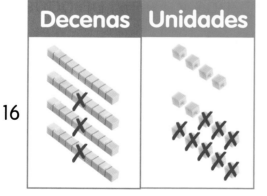

16

Entonces,
$54 - 38 = 16$.

¡Comprueba!

Si $54 - 38 = 16$,
entonces, 16 + 38 debe ser igual a 54.
El resultado es correcto.

$$\begin{array}{r} 1\ 6 \\ +\ 3\ 8 \\ \hline 5\ 4 \end{array}$$

Práctica con supervisión

Reagrupa y resta.

3

Decenas	Unidades
7	2
− 5	5

Paso 1 Resta las unidades.

Reagrupa las decenas y las unidades de 72.

72 = 7 decenas y ⬤ unidades

= 6 decenas y ⬤ unidades

Resta

⬤ unidades − ⬤ unidades =

⬤ unidades

Paso 2 Resta las decenas.

⬤ decenas − ⬤ decenas =

⬤ decena

4

Decenas	Unidades
6	2
− 5	8

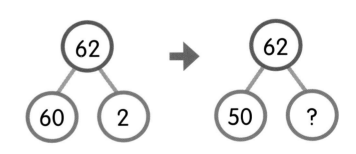

5

Decenas	Unidades
8	5
− 5	9

¡Comprueba!

$$\begin{array}{r} \; \fbox{} \\ + \; 5 \; 9 \\ \hline 8 \; 5 \end{array}$$

¡De paseo en el zoológico!

Jugadores: **4**
Necesitas:
- 1 ficha para cada jugador
- un cubo numerado

AVANZA 2 ESPACIOS

Miras unas flores +10

LANZA OTRA VEZ

Bebes agua+5

DESCANSA

PASO 1

Cada jugador comienza con 10 puntos. El jugador 1 lanza el cubo numerado. El jugador avanza el número de espacios que indica el cubo numerado.

Hora del almuerzo ¡Mmm! +8

PASO 2

El jugador sigue la instrucción escrita en el espacio donde cae su ficha.

Visitas a un oso bebé +6

Pierdes tu mapa −2

¡Uy! Te caes en un arbusto lleno de espinas +1

AVANZA 1 ESPACIO

Ayudas a un abuelo +15

Te despides de los animales

DESCANSA

Tomas fotos a los camellos +2

LANZA OTRA VEZ

Tomas el camino equivocado −2

COMIENZO +10

Saludas a los loros +5

Pierdes tu lápiz −7

Encuentras un pájaro bebé +10

Tomas fotos a las jirafas +9

PASO 3 Túrnate con los otros jugadores. El juego termina cuando uno de los jugadores llega al último espacio.

¡Gana el jugador que más puntos tenga!

Miras un espectáculo de animales +5

Pisas el barro −1

Usas la computadora del cuarto para niños +5

LANZA OTRA VEZ

¡Uy! Te pica un mosquito +2

Tomas fotos a los canguros +3

DESCANSA

Comes una barra de cereal… ¡qué rico! +1

Das plátanos a los monos −2

Tomas fotos a los osos +2

Practiquemos

Reagrupa.

1 82 = 8 decenas y
　　　[　　] unidades

　　= 7 decenas y
　　　[　　] unidades

2 75 = 7 decenas y
　　　[　　] unidades

　　= 6 decenas y
　　　[　　] unidades

Reagrupa y resta. Comprueba tu resultado.

3
Decenas	Unidades
5	3
−	9
	[　　　]

4
Decenas	Unidades
9	2
−	6
	[　　　]

5
Decenas	Unidades
7	3
− 3	7
	[　　　]

6
Decenas	Unidades
9	0
− 5	4
	[　　　]

7 64 − 6 = [　　　]

Decenas	Unidades
[　　]	[　　]
− [　　]	[　　]
[　　　]	

8 71 − 56 = [　　　]

Decenas	Unidades
[　　]	[　　]
− [　　]	[　　]
[　　　]	

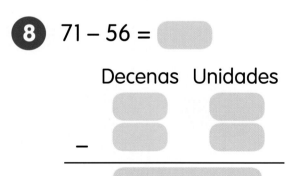

POR TU CUENTA

Ver Cuaderno de actividades B:
Práctica 4, págs. 167 a 172

RESOLUCIÓN DE PROBLEMAS
Usa cada número una vez.

 14   25   49 39   74

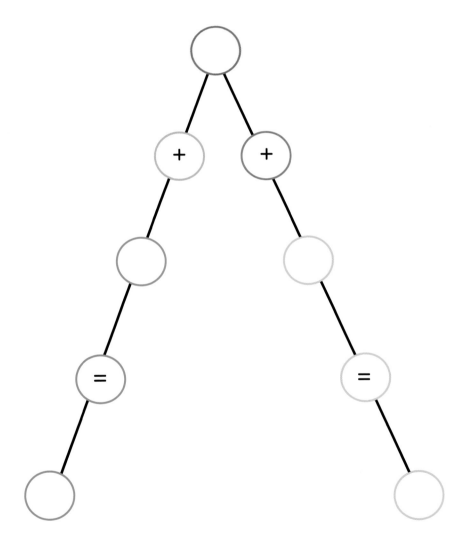

POR TU CUENTA

Ver Cuaderno de actividades B:
¡Ponte la gorra de pensar!
págs. 173 a 174

Resumen del capítulo

Has aprendido…

Suma

Sin reagrupación

64 + 3 = ?

Método 1
Cuenta hacia adelante desde el número mayor.
64, 65, 66, 67

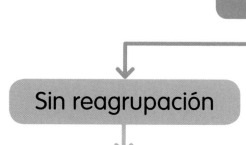

64   65   66   67

Método 2
Usa una tabla de valor posicional.

Paso 1   Suma las unidades.

Paso 2   Suma las decenas.

Decenas	Unidades
6	4
+	3
6	7

Con reagrupación

54 + 16 = ?

Usa una tabla de valor posicional.

Paso 1   Suma las unidades. Reagrupa las unidades.

Paso 2   Suma las decenas.

Decenas	Unidades
1	
5	4
+ 1	6
7	0

IDEA IMPORTANTE

Los números hasta 100 pueden sumarse o restarse con o sin reagrupación.

Resta

Sin reagrupación

75 – 2 = ?

Método 1

Cuenta hacia atrás desde 75.

75, 74, 73

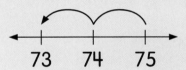

73   74   75

Método 2

Usa una tabla de valor posicional.

Paso 1   Resta las unidades.

Paso 2   Resta las decenas.

Decenas	Unidades
7	5
–	2
7	3

Con reagrupación

65 – 18 = ?

Usa una tabla de valor posicional.

Paso 1   Reagrupa las decenas y las unidades de 65. Resta las unidades.

Paso 2   Resta las decenas.

Decenas	Unidades
⁵6̸	¹5
– 1	8
4	7

POR TU CUENTA

Ver Cuaderno de actividades B: Repaso/Prueba del capítulo, págs. 175 a 176

18 Multiplicación y división

Buscamos mariquitas para la lección de ciencias.

Hemos atrapado 3 + 3 + 3 + 3 = 12 mariquitas.

Vamos a ponerlas en 2 cajas.

Hay 6 mariquitas en cada caja.

Lección 1 Sumar el mismo número

Lección 2 Repartir equitativamente

Lección 3 Hallar el número de grupos

IDEA IMPORTANTE

Multiplicar es igual que sumar grupos iguales. Dividir es igual que repartir equitativamente o poner cosas en grupos iguales.

Recordar conocimientos previos

Sumar el mismo número

2 + 2 = 4

2 + 2 + 2 = 6

3 + 3 = 6

3 + 3 + 3 = 9

✔ Repaso rápido

Suma.

1 5 + 5 + 5 + 5 = ⬭

2 4 + 4 = ⬭

3 4 + 4 + ⬭ = 12

4 3 + 3 + 3 + ⬭ = 12

Sumar el mismo número

Objetivos de la lección

- Usar objetos o ilustraciones para hallar el número total de elementos en grupos del mismo tamaño.

- Relacionar la suma repetida con el concepto de multiplicación.

Vocabulario

mismo

grupos

cada

Aprende

Puedes sumar el **mismo** número.

2 juguetes   **2 juguetes**   **2 juguetes**

¿Cuántos grupos de juguetes hay?

¿Cuántos juguetes hay en **cada** grupo?

Hay 3 **grupos**.

Hay 2 juguetes en cada grupo.

$2 + 2 + 2 = 6$

3 doses = 6

3 grupos de 2 = 6

Hay 6 juguetes en total.

$2 + 2 + 2$ representa 3 doses ó 3 grupos de 2.

Práctica con supervisión

Completa.

 1

Hay ⬜ grupos.

En cada grupo hay ⬜ canicas.

⬜ + ⬜ + ⬜ + ⬜ = ⬜

⬜ cincos = ⬜

⬜ grupos de 5 = ⬜

Hay ⬜ canicas en total.

2

⬜ + ⬜ + ⬜ = ⬜

⬜ cuatros = ⬜

⬜ grupos de 4 = ⬜

Hay ⬜ estrellas en total.

✋Manos a la obra

1 Usa 5 hojas de papel.
Coloca 2 fichas en cada hoja de papel.

⬚ + ⬚ + ⬚ + ⬚ + ⬚ = ⬚

⬚ doses = ⬚

⬚ grupos de 2 = ⬚

2 Usa 6 hojas de papel.
Coloca 3 fichas en cada hoja de papel.

⬚ + ⬚ + ⬚ + ⬚ + ⬚ + ⬚ = ⬚

⬚ treses = ⬚

⬚ grupos de 3 = ⬚

3 Usa 3 hojas de papel.
Coloca un número igual de fichas en cada hoja de papel.

⬚ + ⬚ + ⬚ = ⬚

3 ⬚ = ⬚

3 grupos de ⬚ = ⬚

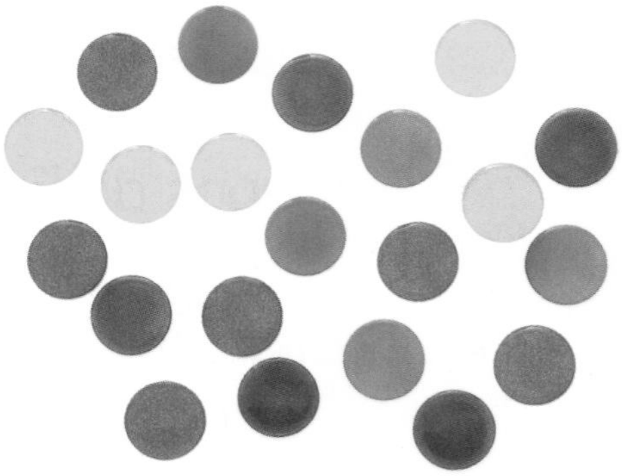

Exploremos

Usa 12 fichas.
Colócalas en hileras de diferentes maneras.
Cada hilera debe tener el mismo número de fichas.
Luego, escribe tres enunciados para cada agrupación.

Ejemplo

3 grupos de 4 = 12
3 cuatros = 12
4 + 4 + 4 = 12

Usa 18 fichas.
Repite el procedimiento.
¿Cuántos enunciados puedes escribir?

Diario de matemáticas

Halla los enunciados falsos.
Luego, escribe enunciados verdaderos.

1. 3 doses es igual a 32.

2. 4 grupos de 2 es igual a 8.

3. 3 grupos de 4 es igual a 3 + 4.

4. 3 grupos de 3 es igual a 3 + 3.

Escribe los números que faltan.

1 7 + 7 + 7 = ⬜

3 sietes = ⬜

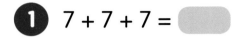

2 Una araña tiene ⬜ patas.

8 + 8 + 8 = ⬜

3 ochos = ⬜

3 arañas tienen ⬜ patas.

3 Una hormiga tiene ⬜ patas.

⬜ + ⬜ + ⬜ + ⬜ + ⬜ + ⬜ = ⬜

6 ⬜ = ⬜

6 hormigas tienen ⬜ patas.

POR TU CUENTA

**Ver Cuaderno de actividades B:
Práctica 1, págs. 185 a 190**

LECCIÓN 2 Repartir equitativamente

Objetivos de la lección

Vocabulario
repartir
equitativamente

- Usar objetos o ilustraciones para hallar el número de elementos en cada grupo cuando se reparten equitativamente.

- Relacionar repartir equitativamente con el concepto de división.

Aprende

Puedes repartir equitativamente.

Mark tiene 6 pastelitos.
Mark tiene 3 amigos.
Le da el mismo número de pastelitos a cada amigo en una bolsa.

Intenté poner 1 pastelito en cada bolsa. Me sobraron 3 pastelitos.

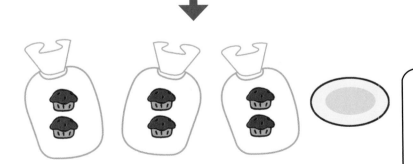

Entonces, puse 1 pastelito más en cada bolsa. Ahora no me sobra ningún pastelito.

Cada amigo recibe 2 pastelitos.

Manos a la obra

TRABAJAR EN PAREJAS

Usa 20 fichas y 4 hojas de papel.

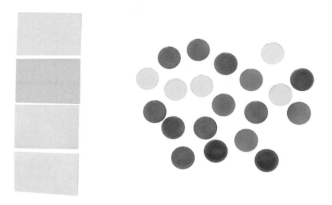

Coloca el mismo número de fichas sobre cada hoja de papel. Usa todas las fichas.

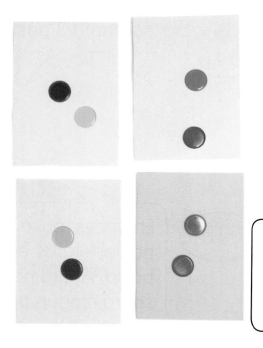

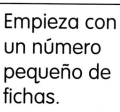

Empieza con un número pequeño de fichas.

¿Cuántas fichas hay en cada hoja de papel?

Práctica con supervisión

Resuelve.

1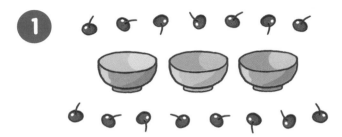

¿Cuántas cerezas hay en total?

¿Cuántos tazones hay?

Coloca el mismo número de cerezas en cada tazón.

Hay ____ cerezas en cada tazón.

Practiquemos

Completa.

1 Reparte 8 niños en 2 grupos iguales.
¿Cuántos niños hay en cada grupo?

Hay ____ niños en cada grupo.

2 En una caja, hay 12 cuentas de diferentes colores.
Reparte las cuentas en 4 grupos iguales.
¿Cuántas cuentas hay en cada grupo?

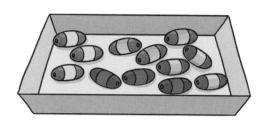

Hay ⬜ cuentas en cada grupo.

3 El maestro Armstrong tiene 18 crayolas.
Reparte las crayolas equitativamente entre 6 niños.
¿Cuántas crayolas recibió cada niño?

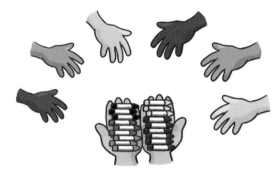

Cada niño recibió ⬜ crayolas.

4 La señora Curley hornea 20 pastelitos.
Los coloca en 5 cajas equitativamente.
¿Cuántos pastelitos hay en cada caja?

Hay ⬜ pastelitos en cada caja.

POR TU CUENTA

Ver Cuaderno de actividades B:
Práctica 2, págs. 191 a 198

LECCIÓN 3

Hallar el número de grupos

Objetivo de la lección

- Usar objetos o ilustraciones para mostrar el concepto de división para hallar el número de grupos iguales.

Aprende

Puedes hallar el número de grupos iguales.

Hay 12 huevos.

Coloca 4 huevos en cada tazón.

¿Cuántos tazones necesitas?

Primero, coloca 4 huevos en 1 tazón.

Continúa hasta que todos los huevos estén en los tazones.

Necesitas 3 tazones.

Práctica con supervisión

Resuelve.

1 Kim tiene 15 gatos de juguete.
Kim coloca 3 gatos de juguete en cada sofá.
¿Cuántos sofás necesitó para todos los gatos de juguete?

Kim necesitó [ ] sofás para todos los gatos de juguete.

Manos a la obra

Usa 20 fichas y algunas tazas.

1 Coloca 2 fichas en cada taza.
¿Cuántas tazas usaste?

2 Coloca 4 fichas en cada taza.
¿Cuántas tazas usaste?

3 Coloca 5 fichas en cada taza.
¿Cuántas tazas usaste?

4 Coloca 10 fichas en cada taza.
¿Cuántas tazas usaste?

Exploremos

TRABAJAR EN PAREJAS

Usa 24 .

Usa todos los  y colócalos en grupos.

Cada grupo debe tener el mismo número de .

¿De cuántas maneras puedes hacerlo?

Diario de matemáticas

Dibuja las diferentes maneras en que puedes agrupar los  de la actividad Exploremos.

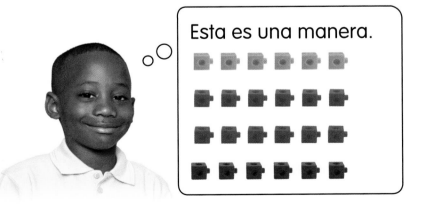

Esta es una manera.

Resuelve.

1 Coloca 10 pajaritos en grupos.
Coloca 2 pajaritos en cada grupo.
¿Cuántos grupos de pajaritos tienes?

2 Un granjero tiene 15 ovejas en su granja.
Tiene las ovejas en corrales.
Hay 5 ovejas en cada corral.
¿Cuántos corrales hay?

3 Nate hace 24 títeres.
Coloca 6 títeres en cada caja.
¿Cuántas cajas usó Nate?

POR TU CUENTA

**Ver Cuaderno de actividades B:
Práctica 3, págs. 199 a 204**

¡Ponte la gorra de pensar!

RESOLUCIÓN DE PROBLEMAS

Resuelve.

1   Alex tiene 3 conejos.
¿Cuál de las siguientes opciones muestra el
número de patas que tienen los conejos de Alex
en total?

$3 + 3 + 3 = 9$

$3 + 3 + 3 + 3 = 12$

$4 + 4 + 4 = 12$

2   Chris tiene 18 canicas.
Las agrupa.
Hay 5 canicas en cada grupo.

a   ¿Cuál es el mayor número de grupos que
puede tener Chris?

b   ¿Cuántas canicas sobran?

> **Haz dibujos** como
> ayuda o **haz una**
> **representación**.

POR TU CUENTA

> **Ver Cuaderno de actividades B:**
> **¡Ponte la gorra de pensar!**
> **págs. 205 a 206**

Resumen del capítulo

Has aprendido...

a sumar números repetidos.

5 + 5 + 5 representa 3 cincos.
5 + 5 + 5 = 15
3 cincos = 15

IDEA IMPORTANTE

Multiplicar es igual que sumar grupos iguales. Dividir es igual que repartir cosas equitativamente o formar grupos iguales.

....

a usar una ilustración con grupos iguales de cosas y escribir un enunciado de suma.

3 + 3 + 3 + 3 = 12

....

a colocar o repartir cosas en partes o grupos iguales.
Reparte 6 fresas en 3 grupos iguales.
¿Cuántas fresas hay en cada grupo?

Se da el número de grupos.

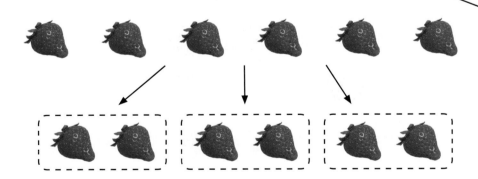

Hay 2 fresas en cada grupo.

a formar grupos iguales y hallar el número de grupos.

Coloca 9 fresas en grupos de 3. ¿Cuántos grupos de fresas hay?

Se da el número de cosas en cada grupo.

Hay 3 grupos de fresas.

POR TU CUENTA

Ver Cuaderno de actividades B:
Repaso/Prueba del capítulo,
págs. 207 a 208

19 El dinero

25¢
cada uno

10¢ cada uno

¿Cuántas monedas de 1¢ necesito para comprar

1 🐱 y 1 ✏️ ?

IDEA IMPORTANTE

Las monedas de 1¢, 5¢, 10¢ y 25¢ se pueden contar y cambiar por otras. El dinero se puede sumar y restar.

Recordar conocimientos previos

Las monedas de 1¢, 5¢, 10¢ y 25¢

1¢

5¢

10¢

25¢

Estas son las dos caras de la moneda de 1¢.
Esta moneda vale un centavo, o 1¢.

Usar monedas de 1¢ para comprar cosas

5¢

7¢

6¢

Nombra cada moneda.

 [_____]   [_____]

Halla el precio.

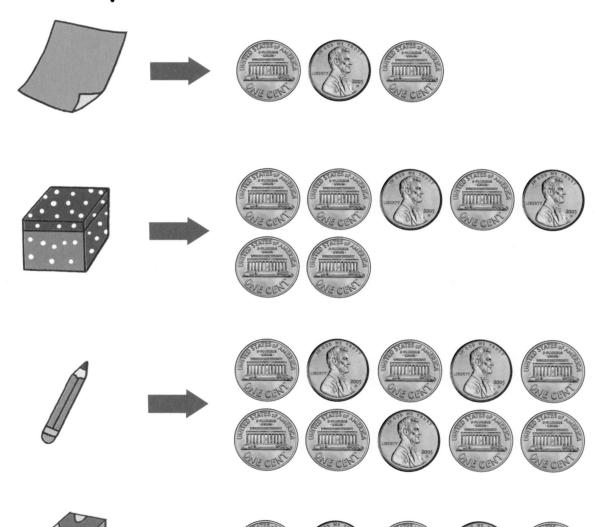

3¢

LECCIÓN 1 Las monedas de 1¢, 5¢ y 10¢

Objetivos de la lección

- Reconocer y nombrar las monedas de 1¢, 5¢ y 10¢.

- Comprender que "¢" significa centavos.

- Contar salteado para hallar el valor de las monedas.

- Cambiar una moneda por un conjunto de monedas de igual valor.

- Usar diferentes combinaciones de monedas de menos de 25¢ para comprar cosas.

Vocabulario

centavos

moneda de 5¢

valor

moneda de 1¢

moneda de 10¢

cambiar

Aprende

Conoce las monedas de 1¢, 5¢ y 10¢.

Estas son las dos caras de una **moneda de 1¢**.
Esta moneda vale un **centavo**, o 1¢.

o

Estas son las dos caras de una **moneda de 5¢**.
Esta moneda vale cinco centavos, o 5¢.

Estas son las dos caras de una **moneda de 10¢**.
Esta moneda vale diez centavos, o 10¢.

 ¡¢ significa centavos!

Práctica con supervisión

Completa.

1 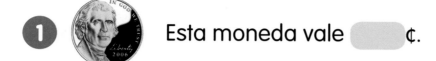 Esta moneda vale ⬚ ¢.

2 Esta moneda vale ⬚ ¢.

3 Esta moneda vale ⬚ ¢.

4 ¿Cuántas monedas de 1¢ hay? ⬚

5 ¿Cuántas monedas de 5¢ hay? ⬚

6 ¿Cuántas monedas de 10¢ hay? ⬚

Puedes contar salteado para hallar el valor de un grupo de monedas.

Cuenta salteado para hallar el **valor** de las monedas.

Hay 4¢.

Cuenta de 1 en 1 las monedas de 1¢. 1, 2, 3, 4 centavos.

Hay 15¢.

Cuenta de 5 en 5 las monedas de 5¢. 5, 10, 15 centavos.

Hay 30¢.

Cuenta de 10 en 10 las monedas de 10¢. 10, 20, 30 centavos.

Práctica con supervisión

Completa.

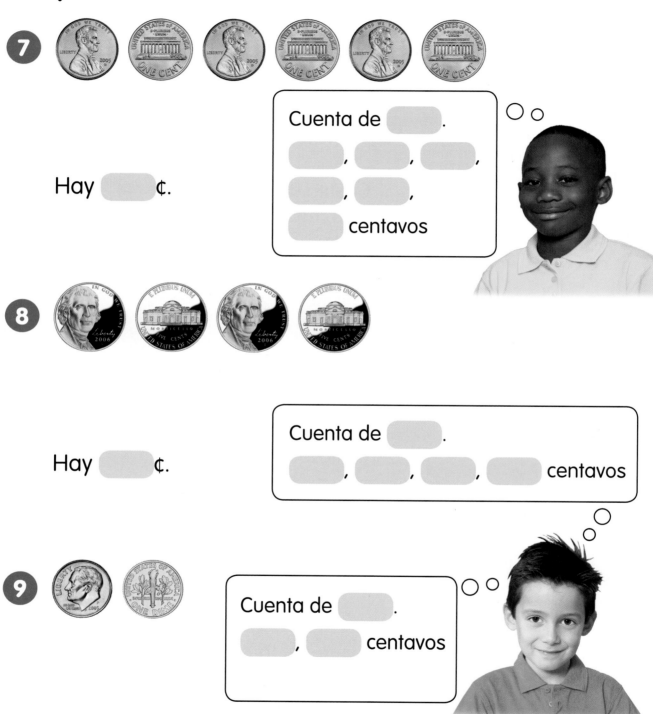

7

Hay ⬚ ¢.

Cuenta de ⬚.

⬚, ⬚, ⬚,

⬚, ⬚,

⬚ centavos

8

Hay ⬚ ¢.

Cuenta de ⬚.

⬚, ⬚, ⬚, ⬚ centavos

9

Cuenta de ⬚.

⬚, ⬚ centavos

Hay ⬚ ¢.

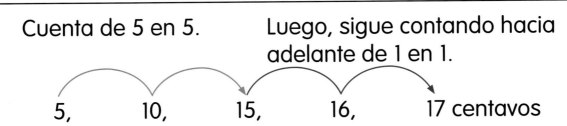

Aprende

Puedes hallar el valor de un grupo de monedas diferentes.

Cuenta hacia adelante para hallar el valor.
Comienza por la moneda de mayor valor.

| Cuenta de 5 en 5. | Luego, sigue contando hacia adelante de 1 en 1. |

5,   10,   15,   16,   17 centavos

Hay 17¢.

Práctica con supervisión

Halla el valor del grupo de monedas.
Comienza por las monedas de mayor valor.

10

_____ , _____ , _____ , _____ , _____ , _____ , _____ centavos

Hay _____ ¢.

11

_____ , _____ , _____ , _____ , _____ centavos

Hay _____ ¢.

Lección 1 Las monedas de 1¢, 5¢ y 10¢ **265**

Puedes cambiar una moneda por un conjunto de monedas de igual valor.

Cambia	Por
1 moneda de 5¢	5 monedas de 1¢
1 moneda de 10¢	2 monedas de 5¢

Práctica con supervisión

Completa.

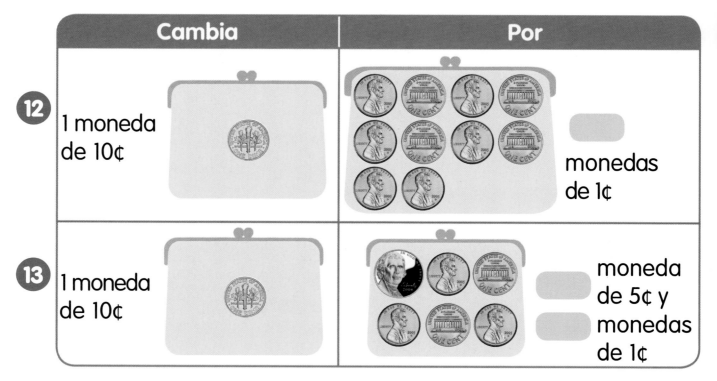

	Cambia	Por
12	1 moneda de 10¢	____ monedas de 1¢
13	1 moneda de 10¢	____ moneda de 5¢ y ____ monedas de 1¢

Puedes usar diferentes grupos de monedas para mostrar la misma cantidad de dinero.

Los niños quieren comprar una pelota cada uno.

14¢ 14¢ 14¢

Pagaré con 14 monedas de 1¢.

Pagaré con 2 monedas de 5¢ y 4 monedas de 1¢.

Pagaré con 1 moneda de 10¢ y 4 monedas de 1¢.

Práctica con supervisión

Completa.

La estampilla cuesta [ ] ¢.

La manzana cuesta [ ] ¢.

El lápiz cuesta [ ] ¢.

El ovillo de cuerda cuesta [ ] ¢.

Practiquemos

Responde a las preguntas.

1 Hay [ ] monedas en total.

2 Hay [ ] monedas de 10¢.

3 ¿Cuántas monedas de 1¢ más que monedas de 10¢ hay? [ ]

4 ¿Cuántas monedas de 5¢ menos que monedas de 1¢ hay? [ ]

Cuenta hacia adelante para hallar el valor de cada grupo de monedas.

5

[ ] , [ ] , [ ] , [ ] ,

[ ] , [ ] , [ ] , [ ] centavos

Hay [ ] ¢.

6

 [ ] , [ ] , [ ] , [ ] ,

 [ ] centavos

Hay [ ] ¢.

Halla el precio.

7 ⬤ ⬤ ⬤ → 🖍️ → [   ] ¢

8 → 🎈 → [   ] ¢

Usa monedas de 1¢ (1¢), de 5¢ (5¢) y de 10¢ (10¢) para formar el precio de 2 diferentes maneras.

Ejemplo

Manera 1

Manera 2

8¢

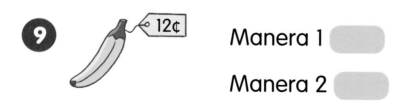

9 🖊️ 12¢   Manera 1 [   ]

Manera 2 [   ]

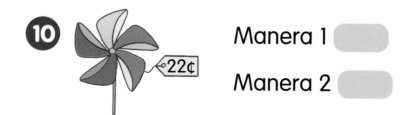

10 🌀 22¢   Manera 1 [   ]

Manera 2 [   ]

> **POR TU CUENTA**
> Ver Cuaderno de actividades B:
> Práctica 1, págs. 209 a 214

2 La moneda de 25¢

Objetivos de la lección

- Conocer y nombrar una moneda de 25¢.
- Cambiar una moneda de 25¢ por un conjunto de monedas de igual valor.

Aprende

Conoce otra moneda: la moneda de 25¢.

Estas son las dos caras de la **moneda de 25¢**. La moneda de 25¢ vale veinticinco centavos, o 25¢.

Puedes cambiar una moneda de 25¢ por otras monedas.

Cambia	Por
(moneda de 25¢ – cara)	(moneda de 10¢) (moneda de 10¢) (1¢) (1¢) (1¢) (1¢) (1¢)
(moneda de 25¢ – cruz)	(5¢) (5¢) (5¢) (5¢) (1¢) (1¢) (1¢) (1¢) (1¢)

Manos a la obra

TRABAJAR EN PAREJAS

Usa monedas de 1¢, 5¢ y 10¢ para mostrar 5 diferentes maneras de cambiar una moneda de 25¢ por otras monedas.

Ejemplo

Cambia por   .

Luego, dibuja (1¢), (5¢), (10¢) en una copia de la tabla para mostrar tus respuestas.

Cambia	Por
![quarter]	
![quarter]	
![quarter]	
![quarter]	
![quarter]	

Completa.

1  vale [ ].

2 ¿Cuántas monedas de 25¢ puedes formar con estas monedas? [ ]

Muestra tres maneras de pagar el llavero.

3 1 moneda [ ]

4 5 monedas [ ]

5 8 monedas [ ]

25¢

POR TU CUENTA

Ver Cuaderno de actividades B:
Práctica 2, págs. 215 a 218

3 Contar dinero

Objetivos de la lección

- Usar la estrategia de "contar hacia adelante" para contar dinero en centavos hasta $1.

- Elegir el valor correcto de las monedas al comprar.

- Usar diferentes combinaciones de monedas para mostrar el mismo valor.

Aprende **Puedes contar hacia adelante para hallar la cantidad de dinero.**

      75¢

Cuenta hacia adelante desde las monedas de mayor valor.

25, 50, 60, 70, 75 centavos

Cuenta hacia adelante de 25 en 25 las monedas de 25¢, de 10 en 10 las monedas de 10¢, de 5 en 5 las monedas de 5¢ y de 1 en 1 las monedas de 1¢.

Práctica con supervisión

Completa.

Matt compra algunas cosas.
Cuenta hacia adelante para hallar el precio de cada llavero.

| llavero del avión | llavero del automóvil | llavero del helicóptero | llavero del camión |

1 Matt paga ⬤⬤⬤⬤⬤ por el llavero del avión.

El llavero del avión cuesta ⬚ ¢.

2 Matt paga ⬤⬤⬤⬤ por el llavero del automóvil.

El llavero del automóvil cuesta ⬚ ¢.

3 Matt paga ⬤⬤⬤ por el llavero del helicóptero.

El llavero del helicóptero cuesta ⬚ ¢.

4 Matt paga ⬤⬤⬤⬤⬤⬤ por el llavero del camión.

El llavero del camión cuesta ⬚ ¢.

Puedes contar un grupo de monedas, ordenándolas primero.

Ricky ahorró 10¢ la semana pasada.
Esta semana, sumó a sus ahorros tres monedas de 5¢,
una moneda de 10¢ y una moneda de 25¢.
¿Cuánto dinero ahorró Ricky en total?

Ricky sacó todas las monedas de su alcancía.

Puso las monedas en orden comenzando por la moneda de mayor valor.

Luego, contó hacia adelante para hallar cuánto había ahorrado.

Primero, cuenta de 10 en 10.   Luego, cuenta de 5 en 5.

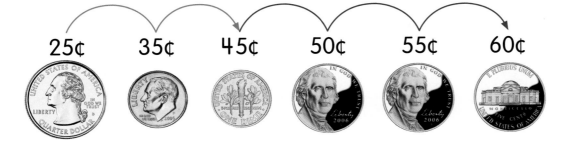

| 25¢ | 35¢ | 45¢ | 50¢ | 55¢ | 60¢ |

Ricky ahorró 60¢ en total.

Ricky usó parte de sus ahorros para comprar canicas.
Las canicas costaron 50¢.
Ricky tomó estas monedas de su alcancía.

25, 35, 45, 50 centavos

Luego, volvió a colocar el resto de las
monedas en la alcancía.

5, 10 centavos

A Ricky le quedaron 10¢ en la alcancía.

Práctica con supervisión

Observa las monedas.
Completa los espacios en blanco.

5 Hay _____ monedas de 25¢.

6 Hay _____ monedas de 10 ¢.

7 Hay _____ monedas de 5¢.

8 Hay _____ monedas de 1¢.

Cuenta hacia adelante para hallar el valor total.

9 Hay _____ ¢ en total.

> Recuerda: cuenta hacia adelante desde la moneda de mayor valor.

Práctica con supervisión

Completa.

10 Indica cuáles de estas monedas forman 62¢.

Usa monedas de 1¢, 5¢, 10¢ y 25¢ para mostrar la cantidad dada. Comienza por la moneda de mayor valor.

Ejemplo

50¢

11 72¢

12 96¢

Aprende **Puedes usar monedas para mostrar la misma cantidad de diferentes maneras.**

Juan quiere comprar un lápiz.
El lápiz cuesta 55¢.

55¢

Puedo pagar con

También puedo pagar con

Práctica con supervisión

Usa monedas para mostrar 2 maneras de pagar cada cosa.

Ejemplo

Manera 1

Manera 2

85¢

13

Manera 1 ⬭
Manera 2 ⬭

95¢

14

Manera 1 ⬭
Manera 2 ⬭

86¢

15

Manera 1 ⬭
Manera 2 ⬭

45¢

16

Manera 1 ⬭
Manera 2 ⬭

75¢

17

Manera 1 ⬭
Manera 2 ⬭

99¢

TRABAJAR EN GRUPO **Juego**

¡Di cuánto!

Jugadores: **4**
Necesitas:
- Una bolsa
- 2 monedas de 25¢
- 2 monedas de 10¢
- 2 monedas de 5¢
- 2 monedas de 1¢

Instrucciones:

PASO 1 Cada uno de los jugadores toma una moneda sin mostrarla a los otros jugadores.

PASO 2 A la cuenta de tres, todos los jugadores colocan sobre la mesa la moneda que tomaron de la bolsa.

PASO 3 El primer jugador que diga el valor de las cuatro monedas obtiene 1 punto.

¡25¢!

? ? ?

¡El jugador que obtiene 10 puntos gana!

Cuenta hacia adelante para hallar el valor.

**Ordena las monedas de mayor a menor valor.
Cuenta hacia adelante para hallar el valor de todas las monedas.**

6 El valor de las monedas es ____ ¢ en total.

Elige el monedero correcto para pagar en cada caso.

7

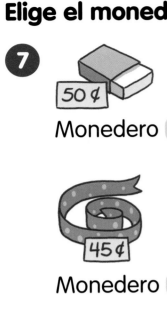

Monedero ⬜

Monedero ⬜

Monedero ⬜

Monedero ⬜

A

B

C

D

Usa las monedas. Indica 2 maneras de pagar el juguete.

8

67¢	manera 1 ⬜
	manera 2 ⬜

POR TU CUENTA

Ver Cuaderno de actividades B:
Práctica 3, págs. 219 a 226

LECCIÓN 4 Sumar y restar dinero

Objetivos de la lección

- Sumar para hallar el costo de los objetos.
- Restar para hallar el cambio.
- Sumar y restar dinero en centavos (hasta $1).
- Resolver problemas cotidianos con sumas y restas de dinero.

Vocabulario
cambio

Aprende

Puedes sumar y restar dinero.

| estampilla de 22¢ | estampilla de 60¢ | señalador | albaricoques | uvas | hilo |

| 22¢ | 60¢ | 30¢ | 50¢ | 45¢ | 65¢ |

Eva compra el señalador y las uvas.
Tiene que pagar
30¢ + 45¢ = 75¢.

Jim compra una bobina de hilo.
Le da al cajero 70¢.
Su **cambio** es
70¢ − 65¢ = 5¢.

Práctica con supervisión

Responde a las preguntas.

Estás en una tienda.

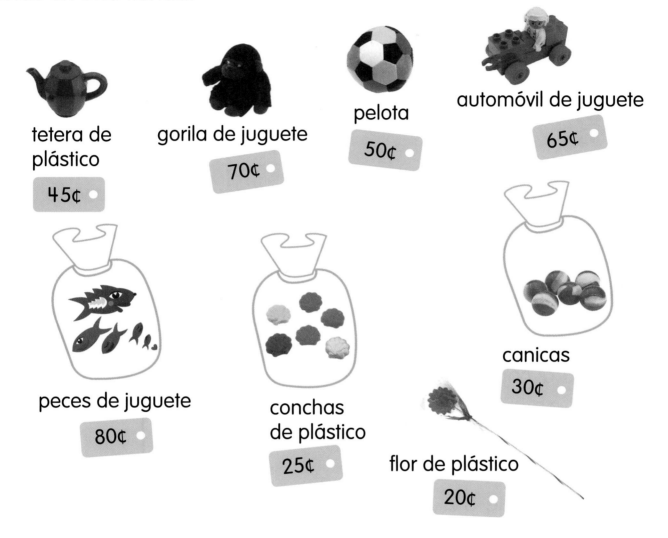

tetera de plástico
45¢

gorila de juguete
70¢

pelota
50¢

automóvil de juguete
65¢

peces de juguete
80¢

conchas de plástico
25¢

flor de plástico
20¢

canicas
30¢

1 ¿Cuánto costarán un automóvil de juguete y una bolsa de canicas?

2 ¿Cuáles dos objetos puedes comprar con solo 45¢?

3 Usas 4 monedas de 25¢ para comprar los peces de juguete. ¿Cuánto cambio te darán?

Puedes resolver problemas cotidianos de dinero.

Adhesivos

 15¢

 20¢

 25¢

 5¢

 35¢

Mike compra los adhesivos del automóvil, del barco y de la bicicleta.

15¢ + 20¢ + 5¢ = 40¢

Gasta 40¢ en total.

Lily compra el adhesivo del automóvil.
Le da al cajero una moneda de 25¢.

25¢ − 15¢ = 10¢

El cajero le da 10¢ de cambio.

Salmah tiene 17¢.
Quiere comprar el adhesivo del avión.

35¢ − 17¢ = 18¢

Necesita 18¢ más.

Peter compra el adhesivo del autobús.
Le queda una moneda de 5¢.

25¢ + 5¢ = 30¢

Tenía 30¢ al principio.

Práctica con supervisión

Completa los espacios en blanco.

pastelito
45¢

manzana
37¢

4 Rita compra un pastelito y una manzana.
¿Cuánto gastó en total?

[_____] ¢ [_____] ¢ = [_____] ¢

Rita gastó [_____] ¢ en total.

5 Jake compra una manzana.
Le da al cajero 50¢.
¿Cuánto cambio le dio el cajero?

[_____] ¢ [_____] ¢ = [_____] ¢

Jake recibió [_____] ¢ de cambio.

6 Gary compra un pastelito.
Dawn compra una manzana.
¿Cuánto dinero menos que Gary gastó Dawn?

[_____] ¢ [_____] ¢ = [_____] ¢

Dawn gastó [_____] ¢ menos que Gary.

7 Después de comprar una manzana, a Luisa le quedan 8¢.
¿Cuánto dinero tenía Luisa al principio?

[_____] ¢ [_____] ¢ = [_____] ¢

Luisa tenía [_____] ¢ al principio.

Exploremos

Todos estos objetos están a la venta.

pan
60¢

reloj de juguete
65¢

estuche para lápices
90¢

frutos secos
80¢

canicas
35¢

galletas con forma
de animales
83¢

clips
20¢

pelota
75¢

1 Paula quiere comprar algo para comer.
Tiene 80¢.
¿Qué puede comprar?

2 Dwayne tiene 95¢.
Después de comprar algo para comer, le quedan 15¢.
¿Cuál alimento compró?

3 Juanita tiene 4 monedas de 25¢.
Nombra dos cosas que puede comprar.
Luego, indica cuánto gastó.

Practiquemos

Resuelve.

1 Gary compra una goma de borrar y un lápiz.
La goma de borrar cuesta 40¢ y el lápiz, 35¢.
¿Cuánto gastó Gary en estos dos objetos?

2 Una canica cuesta 30¢.
Lisa compra la canica.
Le quedan 15¢.
¿Cuánto dinero tenía al principio?

En una tienda, hallamos estos objetos.
Resuelve.

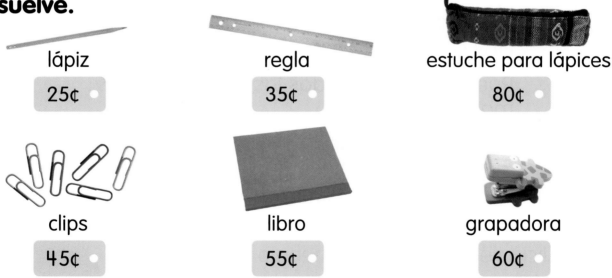

lápiz	regla	estuche para lápices
25¢	35¢	80¢

clips	libro	grapadora
45¢	55¢	60¢

3 Tina tiene 80¢.
Compra dos objetos.
Haz una lista de las cosas que pudo haber comprado.

4 Tim tiene 100¢.
Tim compra un objeto y le quedan 20¢.
¿Cuál compró?

POR TU CUENTA

Ver Cuaderno de actividades B:
Práctica 3, págs. 227 a 238

RESOLUCIÓN DE PROBLEMAS

Responde a las preguntas.

1 Observa las monedas.
¿Cuáles enunciados son correctos?

a Hay tres monedas de 10¢.

b Hay solo 3 monedas de 5¢.

c Puedes cambiar todas las monedas por 9 monedas de 10¢.

d Puedes cambiar las 2 monedas de 25¢ por 50 monedas de 1¢.

2 Ray tiene 2 monedas debajo de la taza A.
Alicia tiene 4 monedas debajo de la taza B.
Las monedas de cada taza suman 50¢.

Las monedas pueden ser   .

¿Cuáles monedas pueden estar debajo de la taza A?

¿Cuáles monedas pueden estar debajo de la taza B?

3

85¢

Un estuche para lápices cuesta 85¢.
James tiene monedas de 1¢, de 5¢, de 10¢ y de 25¢.
Muestra tres maneras de usar esas monedas para comprar el estuche para lápices.
¿Cuál es el menor número de monedas que puede usar para comprar el estuche para lápices?

POR TU CUENTA

Ver Cuaderno de actividades B:
¡Ponte la gorra de pensar!
págs. 239 a 244

Resumen del capítulo

Has aprendido…

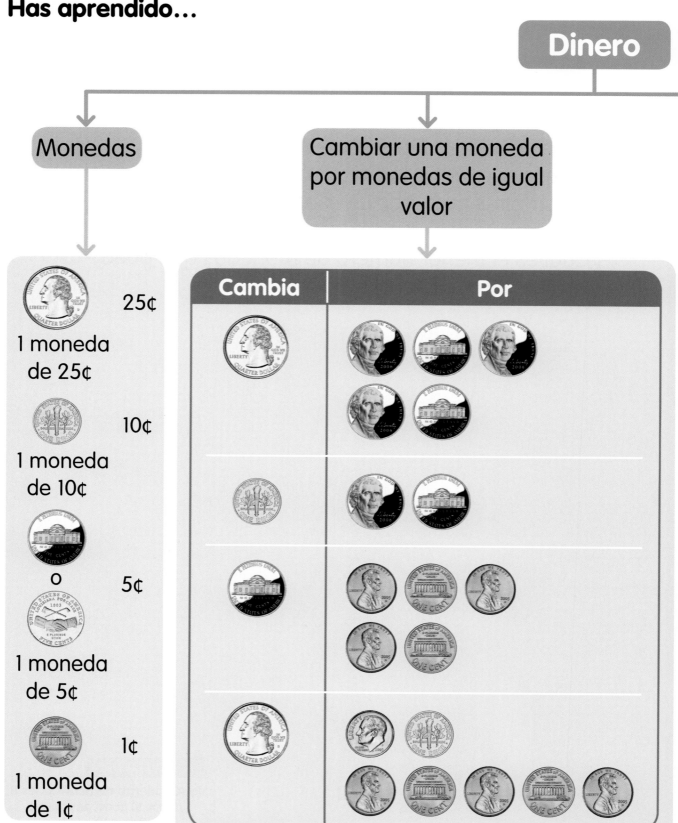

Dinero

Monedas

Cambiar una moneda por monedas de igual valor

25¢ — 1 moneda de 25¢

10¢ — 1 moneda de 10¢

5¢ — 1 moneda de 5¢

1¢ — 1 moneda de 1¢

Cambia	Por

Las monedas de 1¢, 5¢, 10¢ y 25¢ se pueden contar y cambiar por otras. El dinero se puede sumar y restar.

Contar un grupo de monedas para hallar un valor

Usa la estrategia de contar hacia adelante.

25¢, 50¢, 60¢, 70¢, 80¢, 81¢, 82¢

Las monedas valen 82¢.

Sumar y restar dinero

16¢ + 62¢ = 78¢

71¢ − 58¢ = 13¢

Resolver problemas cotidianos

Cindy tiene 99¢.

Gasta 65¢ en un libro.
¿Cuánto le quedó?

99¢ − 65¢ = 34¢

Le quedaron 34¢.

Siti tiene 72¢ y Mike tiene 18¢.
¿Cuánto tienen entre los dos en total?

72¢ + 18¢ = 90¢

Tienen 90¢ en total.

POR TU CUENTA

Ver Cuaderno de actividades B: Repaso/Prueba del capítulo, págs. 245 a 246

Glosario

A

- **año**
  Ver **meses**

C

- **cada**

  Hay cuatro pastelitos en cada plato.

- **calendario**

JULIO						
Domingo	Lunes	Martes	Miércoles	Jueves	Viernes	Sábado
			1	2	3	4
5	6	7	8	9	10	11
12	13	14	15	16	17	18
19	20	21	22	23	24	25
26	27	28	29	30	31	

  El calendario muestra los días, las semanas y los meses de un año.

- **cambiar**

  Cambia 1

  por 2

  y 1 .

- **centavos**
  Es una unidad de dinero. El símbolo "¢" representa los centavos.

- **cien**
  10 decenas = 1 centena

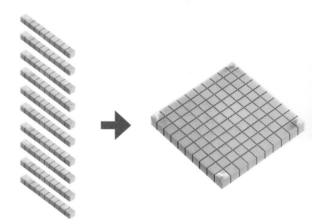

- **cincuenta**

Se cuenta	Se escribe	Se dice
	50	cincuenta

- **cinta para contar**

10	20	30	40	50

- **contar hacia adelante**

62 + 3 = ?
___|___
número mayor

Cuenta hacia adelante desde el número mayor para hallar el resultado.

62	63	64	65

- **contar hacia atrás**

27 – 4 = ?
___|___
número mayor

Cuenta hacia atrás desde el número mayor para hallar el resultado.

23	24	25	26	27

- **cuarenta**

Se cuenta	Se escribe	Se dice
	40	cuarenta

D

- **datos**

Los datos son información que tiene números.

Deportes	Conteo	Número de niños
Fútbol	⫫⫫ ⫫⫫	10
Básquetbol	⫫⫫ |||	8
Béisbol	||	2

- **días**

Hay siete días en una semana.

JULIO						
Domingo	Lunes	Martes	Miércoles	Jueves	Viernes	Sábado

días

E

en punto

Cuando el minutero está en 12, decimos "en punto".

Son las 2 en punto.

equitativamente

Que tienen la misma cantidad o el mismo número.

Puedes repartir 12 mariquitas equitativamente en 2 cajas.

estaciones

Hay 4 estaciones en el año.

Primavera   Verano

Otoño   Invierno

estimar

Puedes estimar el número de objetos.

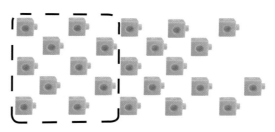

Hay aproximadamente 20 .

El número real de es 24.

F

• fecha

La fecha para la celebración del Día de la Independencia en el año 2010 es **domingo 4 de julio de 2010**.

G

• gráfica con dibujos

En una gráfica con dibujos se usan ilustraciones o símbolos para representar datos.

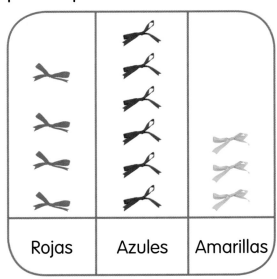

| Rojas | Azules | Amarillas |

• gráfica de barras

En una gráfica de barras, se usa la longitud de las barras y una escala para representar datos.

Animales que vio Peter en el zoológico

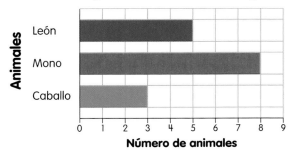

• grupos

Hay 3 grupos.
Cada grupo tiene 7 manzanas.

H

• horario

El horario es la manecilla corta del reloj.

Horario

L

- **liviano, más liviano, el más liviano**

 es liviano.

es más liviana que  .

es la más liviana.

M

- **marca de conteo**

  Para registrar cada dato, se usa una marca de conteo /.
  5 marcas de conteo se muestran así: ⅲⅱ.

  ⅲⅱ || representa 7.

- **más calientes**

Algunos meses son más calientes.

- **más fríos**

Algunos meses son más fríos.

- **más, la mayor cantidad, el mayor número**

Nuestros juguetes favoritos

★			
★			★
★	★		★
★	★		★
★	★	★	★
Osito de peluche	Muñeca	Automóvil de juguete	Juego de cocina

Cada ★ representa a 1 niño.

3 niños más prefieren el juego de cocina que los automóviles de juguete. El juguete que eligió el mayor número de niños es el osito de peluche.

- **media hora**

  Ver **y media**

- **menos, la menor cantidad, el menor número**

  Huevos que pusieron esta semana

	Henny	○○○○
	Penny	○○○○○○○○○○
	Daisy	○○○○○○○

  Daisy puso menos huevos que Penny. Henny puso el menor número de huevos.

- **meses**

  Un año tiene doce meses.

  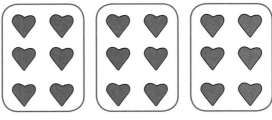

  Enero, febrero, junio, julio, noviembre y diciembre son ejemplos de meses.

- **minutero**

  El minutero es la manecilla larga del reloj.

  Minutero

- **mismo**

  6 + 6 + 6 = 18

  Cada grupo tiene el mismo número de corazones.

- **moneda de 1¢**

  Esta moneda vale un centavo, o 1¢.

- **moneda de 10¢**

  Esta moneda vale diez centavos, o 10¢.

- **moneda de 25¢**

  Esta moneda vale veinticinco centavos, o 25¢.

- **moneda de 5¢**

  o

  Esta moneda vale cinco centavos, o 5¢.

N

- **noventa**

Se cuenta	Se escribe	Se dice
	90	noventa

O

- **ochenta**

Se cuenta	Se escribe	Se dice
	80	ochenta

- **operación de dobles**

    6 + 6 = 12

    8 + 8 = 16

    Los números que se suman son los mismos.

P ─────────────

- **pesado, más pesado, el más pesado**

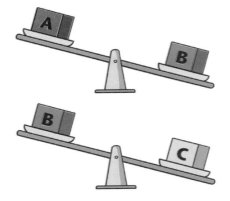

    La caja A es pesada.
    La caja B es más pesada que la caja A.
    La caja C es la más pesada.

- **peso**

    El peso de un objeto indica cuán pesado es ese objeto.

R ─────────────

- **reagrupar**

    Reagrupas cuando cambias 10 unidades por 1 decena o 1 decena por 10 unidades.

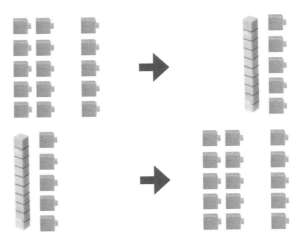

- **recta numérica**

    Los números están ordenados y forman un patrón regular.

    Se puede usar una recta numérica para contar hacia adelante o hacia atrás.

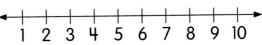

- **repartir**

3 niños reparten 6 globos equitativamente.
Cada niño recibe 2 globos.

S

- **semanas**

Ver **días**

- **sesenta**

Se cuenta	Se escribe	Se dice
	60	sesenta

- **setenta**

Se cuenta	Se escribe	Se dice
	70	setenta

T

- **tabla de conteo**

Deportes	Conteo
Fútbol	‖‖ ‖‖
Básquetbol	‖‖ ‖‖
Béisbol	‖

tabla de valor posicional

Una tabla de valor posicional muestra cuántas decenas y cuántas unidades hay en un número.

Decenas	Unidades
27	

En el número 27 hay 2 decenas y 7 unidades.

tan pesado como

La manzana es tan pesada como la naranja.

treinta

Se cuenta	Se escribe	Se dice
	30	treinta

U

unidad

Una unidad se usa para medir cuán pesada es una cosa.

1 📷 representa 1 unidad.

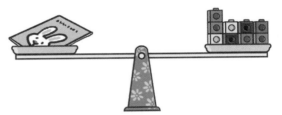

El libro pesa aproximadamente 9 unidades.

V

valor

El valor de una moneda significa a cuánto dinero equivale esa moneda.

veintinueve

Se cuenta	Se escribe	Se dice
	29	veintinueve

- **veintiuno**

Se cuenta	Se escribe	Se dice
	21	veintiuno

Y _____

- **y media**

    Cuando el minutero está en 6, decimos que es cierta hora "y media".

    Son las 5 y media.

Índice

A

Altura, *Ver* Longitud

Año, *Ver* Calendario

B

Balanza de platillos, *Ver* Objetos de manipuleo, Peso

Balanza matemática, *Ver* Objetos de manipuleo

Bloques de base diez, *Ver* Objetos de manipuleo

Bloques, *Ver* Objetos de manipuleo

C

Las páginas en fuente normal pertenecen al Libro del estudiante A.

Las páginas en fuente azul pertenecen al Libro del estudiante B.

Las páginas en *itálicas* pertenecen al Cuaderno de actividades (CA) A.

Las páginas en *itálicas y fuente azul* pertenecen al Cuaderno de actividades (CA) B.

Las páginas en **negrita** indican dónde se presenta un término.

Las páginas en fuente normal pertenecen al Libro del estudiante A.
Las páginas en fuente azul pertenecen al Libro del estudiante B.
Las páginas en *itálicas* pertenecen al Cuaderno de actividades (CA) A.
Las páginas en *itálicas y fuente azul* pertenecen al Cuaderno de actividades (CA) B.
Las páginas en **negrita** indican dónde se presenta un término.

Las páginas en fuente normal pertenecen al Libro del estudiante A.
Las páginas en fuente azul pertenecen al Libro del estudiante B.
Las páginas en *itálicas* pertenecen al Cuaderno de actividades (CA) A.
Las páginas en *itálicas y fuente azul* pertenecen al Cuaderno de actividades (CA) B.
Las páginas en **negrita** indican dónde se presenta un término.

R

Recordar conocimientos previos, *Ver* Destrezas previas

Recta numérica, *Ver* Comparar

Rectángulo, *Ver* Geometría

Relojes, *Ver* Hora

Relojes analógicos, *Ver* Hora

Las páginas en fuente normal pertenecen al Libro del
estudiante A.
Las páginas en fuente azul pertenecen al Libro del
estudiante B.
Las páginas en *itálicas* pertenecen al Cuaderno de
actividades (CA) A.
Las páginas en *itálicas y fuente azul* pertenecen al
Cuaderno de actividades (CA) B.
Las páginas en **negrita** indican dónde se presenta un
término.

Las páginas en fuente normal pertenecen al Libro del
estudiante A.
Las páginas en fuente azul pertenecen al Libro del
estudiante B.
Las páginas en *itálicas* pertenecen al Cuaderno de
actividades (CA) A.
Las páginas en *itálicas y fuente azul* pertenecen al
Cuaderno de actividades (CA) B.
Las páginas en **negrita** indican dónde se presenta un
término.

Photo Credits

317

Acknowledgements

The publisher wishes to thank the following organizations for sponsoring the various objects used in this book:

Accent Living
Metal ball p7
Green bowl p251
Cats on sofa p252

Growing Fun Pte Ltd
Base-ten cubes and blocks appear throughout
the book

Hasbro Singapore Pte Ltd
For supplying Play-Doh™
to make the following:
     Clay stars p243

Lyves & Company Pte Ltd
Puppet doll p38

Noble International Pte Ltd
Unit cubes – appear throughout the book

The publisher also wishes to thank the individuals who have contributed in one way or another, namely:
Model Isabella Gilbert
And all those who have kindly loaned the publisher items for the photographs featured.

PÁGINA EN BLANCO

PÁGINA EN BLANCO